コギャルだった私が、カリスマ新幹線販売員になれた理由

茂木久美子

日経ビジネス人文庫

はじめに

２００６年５月。ゴールデンウィークまっただ中の、よく晴れた日でした。

その日、早朝の新幹線の車内販売担当だった私は、商品をたくさん積んだワゴンとともに、気合十分で新幹線に乗り込みました。大型連休とあって、車内は家族連れでいっぱい。乗車率は１００％を超え、席に座れなかったお客さまがちらほらと通路にお立ちになっています。

「失礼いたします。通らせていただいてもよろしいでしょうか」

お客さまの間をぬって、ワゴンとともに通路を歩きます。

「アイスはありますか？」

「コーヒーをください」

ひとたびお客さまからお声が掛かると、その周囲の方からも次々と注文が舞い込みます。多めに車両に積んであったお弁当や飲み物も、飛ぶように売れていきました。

その後、途中駅からも次々にお客さまが乗車され、車内はさながら満員電車のよう。

（すごい！　これじゃもうワゴンは通れないかも……）

通常時の車内販売では、ワゴンを押し、車両を何度も往復します。ですが、デッキや通路にもお客さまがいらっしゃる場合、ワゴンが通るスペースはなくなってしまうため、販売をご遠慮させていただくこともあるのです。

（でも、暑くなってきたし、もしかしたら冷たいお茶が欲しいお客さまがいるかもしれない。ちょっとお腹が空いて、お菓子が来るのを待っているお子さまも……。よし、お客さまのところへ伺おう！）

そう判断した私は、今度は商品を袋に詰め込むと、手で持って販売することにしました。

「お弁当にお菓子、冷たいお飲み物はいかがでございますか」

声をお掛けすると、読みどおりお茶もお菓子も、他の商品もどんどん売れてゆきます。

「お土産品も多数用意しておりますので、ぜひご利用ください」

「えっ、お土産も売ってるの？　じゃあ一つください」
帰省される様子で、お土産をお持ちでないお客さまからもご注文をいただきました。

やがて通路もお客さまでいっぱいになり、通れない私を見かねた方々によって、お金と商品、お釣りの手渡しリレーが始まりました。

両手に持てる量には限度がありますから、手持ち販売は、ワゴンに比べると売上が落ちてしまいます。でも、一人で車両を何十回と往復しながら「もしかしたらこれはすごい金額になるかもしれない」と思いました。

新庄―東京間の怒濤の1往復半が終わりました。営業所に戻り、その日の売上金をカウンターにかけます。すると、金額を示すメーターがカタカタ……と動き始めました。

ですが、それはいつまで経っても止まりません。私は恐ろしくすらなってきました。

「なんだ、機械の故障か？」

ついには周囲もざわつきはじめます。

ですが、止まったその数字を見て、その場は一気に静まり返りました。

「……50万円!?」

通常、車内販売員が1往復したときの平均売上金額は7万円ほど。それを1往復半に換算しても、5倍近い売上を出したということになります。50万円という金額は、東京都内にあるコンビニエンスストアの1日の平均売上に匹敵します。車内販売では前代未聞の数字でした。

あの日の出来事は、数年経った今でもはっきりと覚えています。

山形県の新庄駅から東京駅までを約3時間半で結ぶ、山形新幹線「つばさ」。福島―新庄間は在来線の線路を走るため、他の新幹線よりも車体が小ぶりなのが特徴です。大きな新幹線では全車両で約１３００名分の座席がありますが、こちらは約４０

0名分。7両編成の、本当に小さな新幹線なのです。

私はその「つばさ」の車内販売員として、1998年から2012年まで乗車していました。

ワゴンにお弁当や飲み物、お菓子、お土産品などの商品を積み、車内を歩いて販売するこのサービスを、皆さんも一度はご利用されたことがあるのではないでしょうか。私はその車内販売で他の販売員の3倍という売上を出し続け、のちに全線区で3名しかいない「チーフインストラクター」の役職につき、後輩の育成にもあたりました。新聞やテレビではその販売方法などを取り上げていただき、全国で講演をする機会にも恵まれました。

講演会でよく言われることは、

「茂木さんはもともと明るくて、販売員という仕事が天職だったんですね。だからそんなに売れるんですよね」

ということ。

でも本来の私は、接客業には到底向かない、とても人見知りな子でした。お恥ずかかしい話、学生時代の成績もビリに近く、そしてタイトルにもあるように、バリバリのコギャルだったのです！

10代の頃は、「私なんて、何をやったってダメなんだ」とずっと思っていました。でも、今の自分なら、「そんなことはないんだよ」と言うことができます。少しの勇気を出せば、人はどんなふうにでも変わることができる。だから、もし同じような思いを抱えている人がいるならば、「きっと大丈夫、だから自分を否定しないで」と背中を押したい気持ちです。

一人のダメダメだったコギャルは、さまざまな人たちと触れあうことでどんどん変えられ、自分の頭で考える楽しさを知り、やがてそこが自分の居場所になりました。これからお話しするのは、そんな私が、車内販売という仕事で得た販売のアイデアや考え方です。それがほんの少しでも、皆さまが仕事や人生を乗り切っていくうえでのヒントになれば、これほど嬉しいことはありません。

目次

第四章　新幹線は人生の交差点…………115

次の夢に向かって

写真提供　大関　敦
茂木久美子

第一章　「落ちこぼれ」からの挑戦

引っ込み思案で人見知り

　私は、山形県天童市に3人兄妹の末っ子として生まれました。年の離れた2人の兄はどちらも社交的で、とても優秀。なのに私だけが引っ込み思案で、欲しいものも「欲しい」と言えないような、存在感のない子でした。

　そんな性格ですから、幼稚園や小学校では居場所もなかったように思います。大勢のグループにいるよりも、一人で遊んでいることのほうが多かったかもしれません。たとえばお姫様役、召使い役、王子様役など、たくさんの役を一人芝居で演じるのです。空想の中ではどんな自分にだってなれますから、そのひとときが一番楽しい時間でした。

　また、他の人のことも空想していました。普通の幼稚園児なら、笑って、泣いて、友だちと遊んで日々を過ごすものかもしれません。でも私は、グループで遊んでいる子を見ては「みんな、大勢でいて何が楽しいんだろう？」、先生を見ては「この先生はどうしてこの仕事をしているのかな」などと考えてしまう、そんな冷めた子どもでもありました。

そんな私を、両親はとても心配していたようです。

激しい人見知りで友だちもおらず、人様に「ごめんなさい」や「ありがとう」の一言も言えない私。そして他の子よりも小さな体格。幼稚園の発表会でマーチングバンドをすることになったのですが、体の小さい私は、いつまでも重い太鼓を持ち上げることができません。やがてみんなが歩きながら太鼓を叩く練習に移ったときも、私だけはいつまでも太鼓を持ち上げる練習をしていました。

「何かひとつでもいいから、自分に自信が持てるものを習得してほしい。そして健康的に育ってくれたら……」

そんな願いから、両親は私にたくさんの習い事をさせてくれました。ピアノ、バイオリン、水泳、バトントワリング……。高校を卒業するまでこの習い事は続けましたが、その中でも水泳とバトントワリングのように、体を動かすものが性に合っているようでした。

水泳では、頑張った結果が数字となって表れるのが楽しかった。バトントワリングでは、初めて人前に立つことの面白さを知りました。大好きなセーラームーンのようにクルクルと棒を回す私を、みんなが見てくれている。成功したら褒めてくれる。

（私、ノロいしずっとダメな子だったけど、もしかしたらもっとできることがあるのかな。もっといろんなことをやってみたい！）

自分に自信が持てるようになり、なんでもできそうな気がしました。自分をたくさん見てほしい、もっともっと輝きたいという気持ちを経験して、「自分の存在」を実感できたことが大きかったように思います。

やってきた反抗期

いろいろな習い事に通ったおかげか、私の内向的な性格は徐々におさまり、中学校に入る頃には、ちょっと反抗的な子になっていました。小さい頃から水泳教室に通っていたためか、髪の毛はプールの塩素で茶色になり、流行のミニスカートにルーズソックスまで履いて、まさに「コギャル」一直線。

でも、そんなコギャルの格好で遊びほうけていても、水泳だけは欠かさず続けていました。学校では水泳部に入り、さらに水泳教室にも通う日々。毎日毎日、大好きな水泳漬けで、タイムを縮める楽しさを味わっていました。

興味のあることはやるけれど、それ以外はまったくやらなかった私。ですから、嫌いな勉強はどんどんおろそかになっていきました。「分かんない」、「じゃあ、もういや！」という状態が続いた結果、成績はなんと、常にビリ争いに……。

そんな悲惨な状態が長く続き、やがて私は中学3年生になりました。

「これはまずい、このままじゃ久美子は高校にも入れない！」

ついに両親が焦りだし、家庭教師の先生に来ていただくことになりました。そう、中学1年生の知識レベルですから、今から塾に通ったところで授業についていけるわけがないのです。

（しかし、勉強ってどうやってするんだべ？）

まともに勉強をしてこなかった私は、まずその方法すら分かりません。そこで、とにかくひたすら「書いて覚える」ことにしました。

（お恥ずかしい話、当時の私はアルファベットすら最後まで分からなかったのです。基礎の基礎であるアルファベットの「A」からノートに書きはじめ、必死で勉強しました。学校では同級生が3年生の教科書で授業を受けるなか、私は1年生の教科書を開き、こっそり勉強を続けたのです。

その結果、成績は少しずつ上がりはじめ、なんとか私立の女子高校に合格することができました。「どこにも入れる高校がない」と言われていたわけですから、茂木家にとっては信じられない快挙だったのです！

でも、もっと早く勉強を始めればよかったな、というのも正直な感想でした。

これは後から聞いた話ですが、水泳大会で好成績を収めていた私に、高校の推薦入学の話があったのです。ですが、中学校側が勉強ができない私を推薦することをためらい、黙って他の生徒を推薦したということでした。

（なんで本人に隠すの？　大人はひどい、嘘つき！）と腹立たしく思うと同時に、

「でも、私が勉強してこなかったから、精一杯頑張れなかったからダメだったんだ……」

という激しい後悔にも襲われました。

生きていくうえでは、「楽しい」と思うことだけを続けるのではなく、苦しいこと、辛いことにも挑戦していかなければなりません。私は勉強が嫌いで、苦しかったけれど、でも、分かるようになってからはすごく楽しいと思いました。だから、どんなことでも精一杯努力して楽しいと思えれば、もっと成長することができるはず――。

これからはもっとしっかりと、自分の人生を考えていこう。15歳の私は、そう心に誓ったのでした。

居場所は学校の外に

私が入学した高校は、現在は共学になっていますが、当時は県内最大の女子校でした。

入学式が終わり、これからどんな高校生活が待っているんだろう、と期待に胸を膨らませていたのもつかの間。相変わらず茶髪でコギャルの格好をした私は、さっそく上級生に目を付けられてしまいました。

ある日、とうとう校舎裏に呼び出されると、先輩集団にこうすごまれます。

「お前、レディース作るって言ってっぺ。新入生のくせに調子こいてんじゃねーず！」

「うっせー！　そだなこと言ってねーず！」

確かにコギャルの格好はしていますが、それは私に限った話ではありません。しかも私はヤンキーじゃない！　その後も先輩にはたびたび呼び出されましたが、私は否定し続けました。

思えば、小さい頃から存在感のなかった私。いじめられたことも何度かありました。でも、高校生の頃が一番、いじめや因縁めいたものを他人からぶつけられていたような気がします。

（大勢でよってたかって一人をいじめるなんて最低だな。言いたいことがあるなら一人で来て言えばいいのに。私は絶対にああなりたくない！）

先輩との上下関係が煩わしく、また助けてくれるような友だちもほとんどいなかったので、正直「いつ高校を辞めてもいいや」と思っていました。

人を信じられなくなり、やる気も失った私は、先生とも衝突するようになります。

あるとき、授業中にこっそり書いていた手紙を取り上げられ、クラスメイトの前で読み上げられたことがありました。

「なんで大人はみんな、ひどいことばかりするの!?」

激しい怒りがこみあげます。いま思えば授業を聞いていない私が悪いのですが、当時はなにか自分の中の大切なものを壊されたような気持ちでした。高校入試の時に大人に抱いた不信感。それがまた顔を出し、周囲の大人や両親、社会への反抗心はますます強くなっていったように思います。

高校に居場所を見つけられなかった私は、学校にほとんど行かなくなりました。無期停学にもなりました。中学生の頃、せっかく勉強の楽しさを知ったのに、これからはしっかり歩いていこうと決めたのに、その希望もどんどん失っていきました。

勉強したってなんの得にもならない。嫌な大人になりたくない。自分の将来に対する漠然とした不安……そんな感情が交じり合い、当時の私はまったく笑わない、のっぺらぼうのような人間になっていました。

学校には行きたくない。でも、高校を卒業してほしいという親の気持ちも分かる。そんな葛藤から逃げるように、上京しては繁華街をぶらぶらしていました。渋谷の雑踏の中、

（ここを歩いている大人たちは、人生が面白いのかな）

そんなことを考えながら。

その後、同級生が春休みでいないときに学校に通い詰め、なんとか高校を卒業しました。

今思えば、高校生の頃の私は幸せではなかったし、「世の中に希望なんてないんだ」とずっと思っていました。その中で唯一、私が自分の存在を感じられたのは、やはり水泳などの習い事や近所の友だちと遊んでいるとき、そしてキラキラしたコギャルの

服装に身を包んでいるときだけだったのです。

あの頃の自分へ

高校卒業後、同級生が東京へ行ったり、地元で進学したり就職したりするなか、私はいわゆるフリーターになります。漠然とした将来への不安はありましたが、ただ友だちとだらだら遊んで、時々バイトでもして、いずれ何となく就職すればいいや、そう考えていました。

ですが、高校を卒業して半年ほど経ったころ、両親のこんな会話がリビングから聞こえてきたのです。

「どうしてあの子は、あんなふうに育ってしまったんだろう」

悲嘆に暮れたその声を聞き、胸が痛みました。

（そうだ、父親の定年だってもう間近だし、いつまでも親に頼るわけにはいかないんだよね……）

このままではいられない。そこで私は一念発起し、就職先を探し始めたのです。

しかし、そうはいってもすぐに仕事が見つかるわけではありません。ハローワークに行き、求人情報誌を読みあさりますが、いまいち「これだ！」というものがないのです。

（自分のなりたいもの、そんなこと考えたこともなかったな。私に夢なんてあったっけ……）

そう考えながら、なにげなく小学校の文集を開きました。

するとそこに書かれていたのは、〈スチュワーデスになりたい〉という将来の夢。世の中に対してなにか大きなことができそうな気がする、やってみたい、などと素直に言えていた、小学3年生の自分がそこにはいました。

「そうだ、私、テレビで見たスチュワーデスさんに憧れてたんだ……」

小さい頃のキラキラした夢と、フリーターになった現在のギャップ……。それが私の頑張りに火を点けたのです。

そんなとき、たまたま新聞で見つけたのが、こんな求人広告でした。

「山形でつばさレディを募集します」

これまでの新幹線の車内販売員のシステムは、東京から乗車して山形の施設に宿泊し、翌日東京に戻るというもの。しかしその会社の支店が山形にもできたため、地方でもアルバイト採用をすることになったのです。

「これならスチュワーデスと同じ『乗り物の仕事』ができるし、大好きな東京にもいつでも行ける！」

まだ面接すら受けていないのに、気分はもう販売員。私はうきうきと履歴書を書きながら、新幹線でバリバリ働く自分を想像していました。

まさかそれが、今後の自分を左右する仕事になろうとは、このときは思いもしませんでしたが……。

面接、初体験

さて、それまで就職活動はおろか、まともに働いたこともなかった私にとって、これが初めての就職試験でした。

「試験って、何を着ていったらいいんだべ。ま、いつもの服装でいいか!」

スーツも持っていなかった私は、私服で試験会場へと向かいます。

試験会場へ到着すると、スーツを着た他の受験生も面接官も、私を見てぎょっと目を見開きました。それもそのはず、日焼けサロンで焼いた真っ黒な肌に、おしりが見えそうなミニスカート。そして髪の毛と口紅は真っ白という、いまでは絶滅危惧種の「ヤマンバギャル」が面接に来たのですから、さすがに引いてしまいますよね。

(うわあ。私、すごい浮いてるみたい……)

そう思ったときにはもう、既に遅しです。

試験はペーパーテストと面接でした。面接では、試験官が裏で、

「この子はもたなそうだ」

「どうせすぐ辞めるだろう」

「お手並み拝見だね」

そんなことを口にしているのが聞こえます。正直、腹が立ちましたが、初めて働きたいと思った職場でしたし、絶対に受かるんだ！ という気持ちはますます強くなりました。

「私はこれまで、販売という仕事にたいへん興味がありました。私もぜひ立派な販売員として……」

「私は長年、接客業をやってきました。その笑顔で車内販売を……」

他の受験生はみんな、立派な自己PRを述べています。当たり前ですが、「ギャルの聖地、渋谷にたくさん行きたいと思ってます！」と言うような人は一人もいません。

（私はどうしよう？ 販売の仕事をしてきたわけでもないし、取り柄といえば……あ、そうだ！）

「私は体力があるので、ビールを2ケース持って走ります！ 頑張ります」

なんのPRだと思われそうですが、それが精一杯の自分の言葉でした。みんなが同じような立派な話をしていて、同じことを言ったらつまらないと思ったのです。でも面接官はというと、なんとも微妙な表情。他の受験生がとうとうと思いを述べるのを聞きながら、「頑張ります」としか言えなかった自分が情けなく、当初の自信はみるみるしぼんでいきました。

（あぁ、これじゃ私、不合格だろうな。もっとちゃんと準備してくればよかった。せっかく初めて勤めたいと思った会社だったのに……）

会場からの帰り道、頭の中は後悔でいっぱいでした。悔しくて悔しくて、ぼろぼろと涙がこぼれました。

そして合格発表の日。合否判定の電話待ちをしていた私のもとに、その連絡はやってきました。

「茂木さん、合格です！　おめでとうございます」

「えっ⁉　本当ですか」

信じられない気持ちでいっぱいでした。ただ、

「髪の毛を黒くして、肌は白く塗ってくださいね」

そんな条件付きではありましたが……。

（そうか、社会人になるってことは、そこに自分を合わせていくことなんだ。いつまでも自分の好きなようにだけしていたら、それじゃ社会には受け入れてもらえないよね）

ふと、面接日の自分の格好を思い出し、顔が赤くなりました。


その後。驚いたことに、このとき受験した全員が一期生として採用になりました。当初は50名採用するはずだったのが、たった15名しか応募がなかったためです。

「どうせすぐ辞めるだろう」

その言葉が頭をよぎりましたが、「うるせぇよ！」、私はそう思いました。

せっかく与えてもらったチャンスです。私はこの中の誰よりも頑張れる、キラキラした夢を持っていた小学生の頃の自分に応えよう、そんな気持ちでした。

そしてなによりも嬉しかったのは、両親が喜んでくれたこと。帰宅した両親に合格したことを伝えると、心から嬉しそうに笑ってくれました。そして親戚中に「久美子の就職が決まったんだ！」と報告していたことを今でも覚えています。

社会が自分を受け入れてくれたこと、希望した職業に就けたこと、周りの人が笑顔になってくれたこと。その喜びを噛みしめ、私は念願の「つばさレディ」への第一歩を踏み出したのでした。

第二章　働くって楽しい！

カッコイイ販売員をめざして

かつて、新幹線には「食堂車」というものがありました。食堂車でゆっくりとお食事しながら風景を楽しみ、目的地へと向かう。新幹線はそういう存在でした。しかし技術の発達とともに新幹線の所要時間はどんどん短くなり、やがて食堂車の機能は売店へと受け継がれます。ですが、お客さまに売店までわざわざお越しいただくよりも、今すぐ欲しいお客さまのところに私たちが歩いていったほうが効率がよいのではないか。そんな思いから、現在の車内販売という形態は生まれました。一歩一歩、お客さまの横を歩きながら商品を売り、お客さまと同じ時間を過ごす。それが新幹線の車内販売員なのです。

さて、私が株式会社日本レストランエンタプライズで正式にアルバイト採用となってから、数日後。さっそく車内販売員の新人研修がはじまりました。初めて真近で見る販売員の制服は女性らしい素敵なデザインで、私たちは胸をときめかせました。

「この制服をビシッと着てワゴンを引いて、モデルさんみたいに颯爽と歩く販売員になろうね！」

そんなことを合い言葉にしながら。

しかし、その「颯爽と歩く販売員」までの道のりは長いものでした。

ＪＲ東日本には、全部で５つの新幹線線区があります。東北、上越、長野、秋田、そして山形です。日本レストランエンタプライズは、そのＪＲ東日本管内の新幹線や寝台特急で車内サービスを行っており、それぞれの路線に支店があります。会社に所属する全販売員は１３００名ほど。山形支店はこのたび初めてできた支店で、私たちは地方のアルバイト採用の一期生ですから、販売経験のある先輩が直接教えてくれることはありません。

そんな私たちのお手本は、渡された1冊のマニュアルでした。その４００ページの分厚いマニュアルを2カ月ほど読み込み、接客用語や非常時の対応、制服の着こなしなど、新幹線の中での事細かなルールやマナーを学びます。

そしてそのあとに、実際の新幹線の車内で実地研修を行うのです。研修とはいえ、相手はお客さまです。ほぼぶっつけ本番のような形で、1週間。もちろん先輩などいませんから、1つのワゴンに私たち新人3人がつき、

「お釣りが足りない！」

「この商品で合ってる？」

などともみくちゃになりながら、ひとつひとつ覚えていきました。

そしていよいよ、一人で新幹線に乗る日がやってきました。

（こういう場合はどうするんだっけ？　あぁ、失敗したらどうしよう……）

緊張と不安が押し寄せ、前夜は一睡もできなかったほどです。

当日の朝、これまで3人で試行錯誤してきたことを頭に思い描きながら、ワゴンを押して乗り込みました。山形から東京へ、そしてまた山形へと1往復したのですが、接客はきちんとできていたか、何の商品を売ったのか、正直、そのときのことはまったく記憶にありません。ただ、思ったのは、

「すごく緊張する、けどめっちゃ楽しい！」

それだけでした。

初めての販売の仕事。両親や祖母と同い年くらいの大人へ物を売り、お金をいただくというのは不思議な感覚ですが、その「お客さま」と接することで、私は、社会人という実感が初めてわいたような気がしました。

そして、今まで存在感のなかった自分、モヤモヤとくすぶっていた自分。こんな私からでも商品を買ってくれる人がいる。ありがとうと言っていただける――。

（私、ここにいてもいいんだ）

新たな自分の居場所を見つけたような、そんな心境でした。

しかし。私たち、颯爽と歩く販売員になろう――そう誓い合った仲間は、3カ月の研修期間中に一人、また一人と減っていきました。まず、就業時間が不規則だったため。今は東京に宿泊して翌日山形へ戻るというシステムがありますが、当時はまだそれがなく、たとえば東京から最終の23時着で山形に戻り、4時にはもう起きて、始発でまた東京へ向かう、というようなことも普通でした。同期の中には既婚者や子どもものいる人も多かったので、確かに家庭との両立は困難だったことと思います。公平を期すため、この時間限定で乗車する、ということを会社は認めていませんでした。また、この仕事は、乗り物酔いとの戦いでもあります。特に山形新幹線は在来線を走るため、他の新幹線よりも揺れが大きいのです。実際に乗車してみて、激しい酔いで疲弊する人も出てきました。アルバイト採用でしたから、労力の割に賃金が見合わないという理由で職場を離れる同期も数多くいました。

そんな経緯で、研修期間が終わる頃には、一期生はわずか数名だけになってしまったのです。

車内販売員の人数が激減してしまったことで、周囲は慌ただしくなりました。急きょ、仙台にいる東北新幹線の販売員にお願いして乗車してもらいましたが、山形新幹線に乗ったことのある経験者は私を含め数名しかいないため、新人がそのベテランたちに教える形となったのです。同期がいなくなってしまったのは寂しいことでしたが、こうなっては自分ですべてこなすしかありません。他の線区の販売員と力を合わせながら、なんとか車内販売の形を確立していきました。

積み荷を決める

ところで「車内販売」というと、皆さん、どんなイメージを持たれるでしょうか。私はこの仕事に就く前、「販売員さんって素敵だな。ワゴンを引いてニコニコしていて」と思っていました。でもその車内販売、実は結構シビアな世界なのです。

そもそもお客さまは目的地へ移動されるために新幹線に乗っているわけで、商品が欲しくて乗っているわけではありません。また、車内販売の商品はスーパーなどのお店に比べて、やや高めの価格設定となっています。そして私たち販売員は値引きをしたり、おまけをつけるというようなことはできません。新幹線は常時満席になるわけではありませんから、売上金額は乗車人数によっても左右されます。これらを踏まえると、少しハードルの高い販売であるといえるでしょう。

山形新幹線の販売員が押すワゴンは、長さ1メートル、幅は40センチほどのもの。他の新幹線に比べると、やや小ぶりで細長い形状をしています。それでも、商品を積んだワゴンの重さは、なんと120キロにもなります。

「車内販売って、どのワゴンでも同じものを積んでいるんじゃないの？」と思われることが多いのですが、何を積むかということは、実はそれぞれの販売員の裁量に委ねられています。商品がぎっしりと納められた駅の商品倉庫で、私たち販売員は「どの商品をどれくらい持っていくか」ということを決めます。それを機械に登録し、自分のワゴンに積んでゆくのです。

食べ物や飲み物、お土産品などの定番商品であっても、売れ筋は季節や曜日、時間帯、天候、客層などでまったく異なりますから、その都度変えていく必要があります。たとえばお店もあまり開いていないような早朝なら、朝食になりそうなサンドウィッチやコーヒー。お昼とその前後の時間なら、ボリュームのあるお弁当とお茶。夕方から終電にかけてはアルコール類とおつまみを多めに、といった具合です。お客さまがいま何をお求めなのかをまず考え、その時間帯の客層とニーズを分析することが売上につながるのです。

日持ちするお土産品やお菓子類などは、たとえ売れ残っても倉庫に戻すことができ

駅の商品倉庫。ここでどの商品をどのように積むか考えます

ます。しかしお弁当やサンドウィッチなど商品寿命の短いものは、当然戻すことはできません。売れ残ればそれらは廃棄処分となり、「損失」になるのです。だからこそ、何をどれくらい積むかという見極めが重要になってきます。

また、ワゴンへの積み方にも工夫が必要です。お茶やジュース、ビールなどの重いものは一番下の段に。これは重心を低くして安定させるためです。真ん中の段にはコーヒーなどの注ぐ作業が必要なものや、お弁当を。そして大きなお土産品などは、上段の側面に立てて置きます。どんなものがあるか一目で分かるように、という工夫です。お子さまが喜びそうなお菓子類は、ワゴン正面の低いカゴへ。これはお子さまの目線の高さに合わせ、手に取りやすくするためです。

販売員のワゴンには、そんなちょっとした工夫がちりばめられているのです。皆さんも新幹線に乗車される際は、ぜひこの「小さなコンビニ」をご覧になってみてください。

車内販売のワゴンはまさに「小さなコンビニ」

車内販売という「個人商店」

車内販売の面白いところは、「個人商店」のような色合いが強いということです。倉庫から自分が売れると思う商品を何個仕入れ、何個売り、何個余らせて、どれくらい納金したか。それはつまり、自分はどれだけお客さまに買ってもらい、どれくらい会社に貢献し、どれくらい損害を与えたかという数字が毎日出るということ。販売を終えて支店に戻れば、日報で一日を振り返る作業が待っており、数字や計算に興味のない販売員もそれを必ず見ることになります。そこで「私はいくら売り上げました」と意識させられるわけです。

その日報は、勤務1日目から提出が義務づけられていました。たとえば、暑い日に冷たいジュースを20本持っていって全部売れたとしても、「今日は売れるまでに時間がかかったな」、「先月はもっと売れ行きがよかったな」という感じで常にその日報を思い出すので、徐々に経営感覚のようなものが身についていきます。

私は昔から数字が大の苦手。最初は日報での計算も嫌だったのですが、しだいにその数字を見るのが面白くなってきました。

その日の自分の頑張りが、すべて数字となって表れる。それはかつて水泳で感じた、自分の頑張りでタイムが縮まる面白さに重なっているような気がします。


また、それはお給料面でも張り合いを持たせてくれました。この仕事はフルタイムのアルバイトで、お給料は基本給＋歩合（当時）です。頑張った分だけ賃金が増えるということが目に見えて分かるので、「これで○円もらえるな」とか、「これは○円だな」というような感覚が持てるのです。

アルバイトなのでもちろんボーナスはありませんが、報労金という制度がありました。「この列車ではこのぐらい売ってきなさい」という目標があり、それよりも売上が大きいと、その売上の数万円単位で何円もらえる、というものです。

また、それとは別に、拡販商品の歩合というものがあります。それは「この商品を1個売ればプラス○円」というもの。微々たるものではありますが、そんな歩合がちょこちょことあるので、かなりやる気がわいてきます。

「よし、あと少しで達成だな」

「まだ在庫が残ってるから、絶対ゼロにしてやろう」

そんな具合です。新幹線に乗っている最中は、常に「現段階での売上はこれぐらいだから、いくらプラスになるか」と金額を計算していました。月給で考えると、報労金の分で7万円ぐらいあったかと思います。努力した分が結果となって表れるのは、本当に嬉しいものです。


販売の仕事をするなかで気付いたのは、働いてお金をいただくことのありがたみです。この仕事に就くまでフリーターだった私は、両親からお小遣いをもらっていましたが、特にそのことで思うところはありませんでした。でも、

(働いてお金をもらうって、こんなに大変なことなんだ。でも、これが大人になるってことなんだろうな。両親はこうやってずっと家族を養ってきてくれたんだ)

そんな感謝の気持ちが芽生えました。

働くこと、そして商品を買っていただく仕事の楽しさを知った私は、新幹線に乗る

毎日がとても充実していました。

「お客さまに興味を持ちなさい」

先にお話ししたとおり、私は一期生だったため、誰に教わることもなくマニュアルどおりに新幹線に乗っていました。そのマニュアルをこなせばお客さまは喜んでくれる、それでお給料ももらえる、と思っていたのです。

入社して数カ月経った、ある日のことでした。私はいつものように車内でワゴンを押して歩いています。すると、

「ちょっと、おねえさん」

初老の女性にそう声を掛けられました。

あ、買ってくださるのかな、とすぐに分かりました。

「私ね、お土産欲しいんだけど、おまんじゅうある？」

「はい、こちらは山形のずんだまんじゅう、こちらは郡山の薄皮まんじゅうでござい

ます。両方とも10個入りで1050円でございます」

私はマニュアルどおりの完璧な台詞とともに、最高の作り笑顔で答えました。するとその女性は、

「じゃあ私は山形の人間だから、山形のおまんじゅうを買っていくわ」

そうおっしゃいました。私は商品をお渡しすると、また別の車両に颯爽と向かいます。

20分ほどしてまたその車両に戻ってきたとき、ふと、先ほどの女性が気になりました。私はそれまで、一度もお客さまのことを気に留めたことはありませんでした。入社以来、上司からは「お客さまに興味を持ちなさい」と言われ続けてきましたが、どうすれば興味を持てるのか、そもそも興味を持つとはどういうことなのかがまったく分からなかったのです。

ですが、私はそのとき、おまんじゅうを買ってくださった女性が無性に気にかかりました。それは、

(さっきおまんじゅうを1箱買ってくれたけど、でも、あれで足りるんだべか?)

と疑問に思ったからです。しかし、そんなときの対応はマニュアルには載っていませんから、どうお客さまに接したらいいのか分かりません。私はマニュアルにとらわれすぎて、もはや「自分の頭で考えて行動する」ということができない人間になっていました。でも、お土産が足りなかったら困るのは誰か。それは自分の目の前にいるお客さまなのです。

新幹線は飛行機とは違い、必ず旅の最後までお客さまと一緒、ということはありません。もしかすると途中駅で降りられたかもしれない、と思いつつ歩みを進めると、その女性はまだ新幹線に乗っていました。

横でいきなり止まったワゴンを見た女性は驚き、その顔には「何か売りつけられるのかしら」という怯えのような表情も浮かんでいました。ですが、今しかないと思った私は、思い切って自分の言葉で聞いてみたのです。

「さっき、私からおまんじゅうを買ってくださいましたよね。覚えています。でも、本当に1箱で足りるんでしょうか」

その瞬間です。狼狽した女性の表情が、「えっ？」というものに変わったのが分かりました。そして少しの沈黙のあと、私にこう言ったのです。

「なるほど……。私はおまんじゅうを1箱買って、1個ずつ配ろうかと思ってたの。でも、もしおまんじゅうが机に2個並んでたら、もっといいよね」

今度は私が驚く番でした。商品を買うか買わないかを決めるのはお客さまですし、私ももう1箱買ってほしくて声をお掛けしたわけではないのです。そこで、ここに来た理由を正直に話すことにしました。

「私、買ってけろ、なんて言いません。ただ、足りるのかなって気になったから来たんです。だから、無理してまで買わないでください」

そして、商品を選ぶお客さまの手から、焦って商品を取り上げてしまいました。ですが、

「いいや、本当に、2個ずつ並んでるほうがいいもの。だからもう1箱、置いていってけらっしゃい」

女性の優しい言葉は、もはやお願いに変わっていました。私は「すみません、私が声を掛けたばかりに……」と恐縮しながら一緒に商品を選び、味の違うおまんじゅう

を追加で1箱買っていただいたのです。

自分からお客さまに声をお掛けして買っていただく、それはとても勇気のいることであり、初めての経験でした。

会話した時間は、わずか2、3分ほど。でも、その中で私は、いっぱいの気付きといっぱいの反省を教えていただいたのです。

まず、気付いたこと。今までは「これください」と言われたものを袋詰めしてお金のやりとりをするという作業だけを行い、それでいいと思っていた自分がいました。でも、それなら機械でもできるわけです。「お土産は足りるのだろうか」という疑問を持ったときに初めて、私は機械ではなく、顔のある「販売員」になれました。

私が「1箱で足りますか」と声をお掛けしたとき、お客さまはおそらく、2個のおまんじゅうをみんながニコニコしながら食べているシーンを思い描いてくれたのではないでしょうか。機械ではなく、「人が人に売る」ということの意味。それはお客さまの立場になって考え、お客さまが幸せになるシーンをイメージしてお売りするということです。

「お客さまに興味を持ちなさい」

上司がくれたこの言葉は、ひとつの疑問から入れということだったのです。

新幹線の車内販売には、チラシも広告もありません。ですがその分、お客さまに直接お伝えできるという強みがあります。目の前にお客さまがいらして、自分たちが人として何かできる環境ならば、きちんと言葉でお伝えし、お客さま自身に自由に思い描いていただく。そのほうが、チラシや広告よりもきっと効果は大きいはずです。

次に反省。これまで私は、マニュアルどおりにお客さまが欲しいものをお渡しするだけでしたから、商品への愛着などは一切ありませんでした。商品のことをよく知らないままに、ただ販売をしていたわけです。それでは商品を心からお勧めすることはできませんよね。

初めておまんじゅうを追加で買っていただけた瞬間、「私は、おまんじゅう屋さんが一生懸命つくったものを、最後にお客さまにお渡しする役目を担っているんだ」という責任感が生まれました。

そしてそのことは、自分が扱う商品はどんな人が作っていて、どんなふうに出来上がるのかをもっとよく知ろう、という意欲も生んだのです。その後、生産者の方に電話で問い合わせ、工場見学をさせていただいたこともよい経験になりました。私たちはただの売り手の一人にすぎないけれど、ひとつの商品にいろんな人が携わっているということを見て、商品やそれを作っている方への思いが強くなったのです。また、その商品がどんなものなのか、お客さまに詳しく説明することもできるようになりました。

自分が売っているものに責任を持ち、販売するということ。それはお客さまの信頼感にもつながるのです。

そして、そのお客さまにもうひとつ、大切なことを教わりました。それは「お声掛けすればもう一度、お客さまとつながることができる」ということ。私たち車内販売員は、商品を欲しいお客さまのところでだけ止まり、それ以外はただ横を通り過ぎる

だけ、という存在です。販売員から声をお掛けするということは、基本的にはありませんでした。でもそれは、

「このお客さまからは声を掛けられないから、きっと買わないだろうな」

「このお客さまはさっき買っていただいたから、きっともう買わないわよね」

そんな冷たい印象を与えてしまっているのではないか、と思ったのです。

こちらから声をお掛けすれば、もう一度お客さまとつながることができる。マニュアルには載っていないそのことに気付き、私は目から鱗が落ちたような気持ちになりました。

(よし、私は他のどの販売員よりもお客さまに声を掛けていこう。お客さまに喜んでいただくんだ!)

そう心に誓ったのです。

いつも見守ってくれる人

社会人としてこの仕事に就いてから、私には大切な上司ができました。私が所属す

る山形支店の初の女性支店長である、山川さんです。山形支店は新設された支店でしたから、山川支店長と私たちはまるで家族のように支えあい、一から支店を作り上げてきました。

支店長は私と違い、数字や計算が大好きな人。長年、経理をやってきたベテランの社員です。でも、数字が好きだといっても、売上についてきびしく言うことはありません。私たち一期生が入社したときも、「とにかくお客さまに失礼のないように」とか、「当たり前のことを当たり前にしなさいよ」と言うだけでした。

でも、失敗すれば呼び出されて、

「久美子、なにやってんだ！」

と恐ろしいぐらいに怒られますし、褒めるときは、

「よくやったな、偉い！」

というように、うんと褒めてくれます。心から怒り、褒めてくれる上司なのです。

私はそんな支店長が大好きで、その日あった出来事を話したり、悩みごとを相談したり……。支店長は、そんな私の話をじっくり聞いてくれ、一緒に喜んでくれたり、

悲しんでくれたり、叱咤激励してくれたりしました。ときには派手にケンカをしたことも! 上司ではあるけれど、まるでお母さんのような存在なのでした。

新幹線に乗ることが楽しくて楽しくて仕方がなかった私は、入社当初からずっと売上トップでした。会社の壁には売上のグラフが貼ってあるのですが、1位になっているのを見ると、自分の頑張りが報われているような気持ちになります。でも、1位を取りたいという気持ちよりもむしろ、そのお母さんのような支店長に、

「久美子、よく頑張ってるな」

そう褒めてもらえるのがたまらなく嬉しくて、それが毎日の活力になっていました。

また、私が自分からお声掛けして、おまんじゅうを買っていただいたときのこと。

「お客さまに声掛けをして販売したい。マニュアルには載っていないけど、いいべか?」

私のその訴えに、少し考えた支店長は、

「んだが。だったらまずやってみろ」

そう言ってくれたのです。もし失敗してお客さまに迷惑を掛けたなら、上司だって責任を問われます。でもそれを「やってみろ」と言ってくれたのは、私を信用してくれたということです。

私が悩みを相談しても、支店長は直接的な答えをくれません。でも、そのかわりによい方向へ進むためのキーワードをくれるのです。自身に答えを考えさせ、成長を促す。この教えは私がチーフインストラクターになり、部下を持ったときにも、大いに参考になるものでした。

これまで私は、「大人は本音を隠してずるい、こんな大人になりたくない」という不信感をずっと抱えて生きてきたように思います。でも、社会人になってさまざまな人と接するうち、その考えは少しずつ変わってきました。

（世の中にはいろんな考えの人がいるんだ。学生の頃、先生や両親にいつも怒られてたけど、でもあれはきっと、私のことを思って言ってくれたことだったんだよね）

そう思うようになったのです。

そして今は、自分という存在を認め、見守ってくれる人がいる。どんなときも本気でぶつかってきてくれる人がいる。こんな人生の先輩がいるから私はもっと頑張れる、私はこの人のためにも頑張ろう——。

素敵な大人との出会いに、私はどんどん自分がよい方向へと変えられていくような、そんな気がしました。

「特別感」が価値を生む

入社して4カ月ほど経った頃、社内でフランス旅行をかけたコンテストが開催されることになりました。全線区のうち、1年間でいちばんワインを売った販売員にフランス旅行をプレゼントするという企画です。

1本400円の小瓶のワインは、ビールやチューハイなどの他のアルコールに比べると、それほど売れゆきのよい商品ではありません。

「これは難しいなぁ」

「ワインなんて、そうそうお買い上げいただけないもんね……」

そんな声もちらほら聞こえましたが、私はこのコンテストに挑戦してみようと思いました。フランスに行ってみたかったということもありますし、なにより、自分がどこまでできるか試してみたかったのです。

「よし、じゃあとりあえずワゴンに積んで、売ってみるか！」


ですが、ワゴンで普段どおりに売っても、やはりお買い上げいただけるはずはありません。ワインの瓶を持ってお客さまのもとへ何度も足を運び、「いかがですか？」と伺うのですが、惨敗し続けました。

そこで私は、売り方を少し工夫してみることにしました。何度も断られたあと、試しにそのワインだけをカゴに入れて持ち歩いてみたのです。

「失礼いたします、ただいまワインをお持ちしました。これより特別なワイン列車となります」

そう言って車内に入ると、いつもと違うアナウンスに、数人のお客さまがパッと顔を上げてくださいました。

(よし、こっちを向いていただけた!)

思わず、心の中でガッツポーズが出ます。

いつもは「温かいコーヒーにサンドウィッチ、冷たいアイスはいかがですか」と言いながら入っていくわけですから、「なぜワインだけなんだろう」、「ワイン列車ってなんだ?」とお客さまの興味を引いたようです。

そこで「またお邪魔いたします」と、お一人お一人に声をお掛けしていきます。すると、何度も訪れたことによって親近感を覚えてくださったのか、一人のお客さまから「このワイン、そんなにおすすめなの? おいしいの?」と声を掛けていただけました。

また、ワインだけを単品で持ってきたことで、商品に対する特別感をも抱いてくださったようです。お客さまの「おすすめなの?」の一言が周囲のお客さまにも広がってゆき、結果、持参したワインはあれよあれよという間に売り切れてしまいました。

あまりの反響に驚きつつも、私には気付いたことがありました。

最初に私がお客さまに言っていた、「いかがですか」という言葉。「コーヒーにサンドウィッチはいかがですか」と広く呼びかけるための常套句は別にしても、この言葉は「買うのか、買わないのか」という選択をお客さまに迫るものだということ。心理的な重圧が大きいため、相手は「買わない」選択をしてしまう可能性が高いのではないか。

また、この言葉は「ぜひ買ってください」という意味にもとれます。商品を買うか買わないかはお客さまが決めることなのですから、こちらの「押し売り」になってしまってはいけません。これではやはりお客さまが警戒してしまいますし、お財布の紐だって固くなります。お客さまにリラックスした状態で商品を買っていただくためには、一方的なセールストークではいけないのです。

「ワイン列車です」という特別感の演出は、モノではなくストーリーを売るということ。それがお客さまの警戒心をほぐし、「なんだか楽しそう」というリラックスした気持ちを生んだのではないでしょうか。

さりげなく何度も伺い、特別感も演出し、楽しんでいただく。この販売方法に手応えをつかんだ私は、通常のワゴンでの車内販売のあとに、ワインだけを持ち歩くということを続けていきました。

そして、1年後のある日。支店長に呼び出された私は、何かやらかしたかとビクビクしながら事務所へと足を運びました。

「失礼します。あのー、私、なにか問題起こしましたっけ……?」

「違うよ! 久美子、あんた、全線区で売上1位になったの!」

私はもはやワインを売ることが日常と化していたので、正直、このコンテストのことはすっかり忘れていました。まさか自分が、とびっくりはしましたが、それ以上に支店長をはじめ、同僚たちがみな自分のことのように大喜びしてくれたことがとても嬉しかったのを覚えています。

このワイン販売には、実はこんな後日談がありました。

数日後、私は浮かれ気分でフランスへと旅立ちます。入社して1年後の1999年、私が19歳のときのことでした。

素敵なショップが建ち並ぶ、絵になる街並。そして行き交うおしゃれな人たち。初めて訪れるフランスはすべてがキラキラしていて、気分は最高潮です。そんな中でも私の格好といえば、相変わらずバリバリのコギャルファッション。ダルメシアン柄のロングコートに身を包み、ミニスカートで街中を闊歩します。

そんな私の姿を見て、ずっと眉間にしわを寄せている初老の男性がいました。同行しているのは会社の重役ばかりですから、きっとお偉いさんなのでしょう。

(なんだろう？　いいや、せっかくフランスに来てるんだし、構っていられない！)

私はその男性を気にすることなく、旅行を満喫することにしました。

これはのちに判明するのですが、私が「誰だろう、このおじいちゃん」と思っていたその方は、なんと、日本レストランエンタプライズの社長だったのです！　最終日にそれを知らされた私は、「えーっ！」と顔が真っ青になりました。

社長は、売上第1位ということで「どんなすごい子が来るんだろう、きっと知的な素晴らしい子に違いない」と思っていたようです。でも、やって来たのはイメージとはほど遠い、バリバリのコギャル……。しかもそれが買い物だなんだとギャーギャー騒いでいるのですから、渋い顔にもなりますよね。でも、

「この旅行も会社のお金でやっていることなのだから、それを忘れずにね。この旅行を励みにして、これからもしっかり仕事を頑張ってください」

というありがたいお言葉を最後にいただき、恐縮しきりだったのでした。

突然、働けなくなった

この仕事に就いて、はや4年。22歳になった私は、相変わらず順風満帆の仕事生活を送っていました。新幹線に乗ることやお客さまとのふれあいが楽しく、売上も右肩上がりです。

ですが、それはある日突然やってきました。

急に、新幹線に乗れなくなったのです。

いつもどおりに荷物を積み、重いワゴンを押しながら、ホームへ出ます。大好きな新幹線はすぐそこにあるのに、なぜか金縛りのように足が動きません。

（えっ、早く新幹線に乗らなきゃいけないのに、なんで動けないの？）

初めての経験に、気持ちは焦る一方。それなのに、なぜか目からは涙がポロポロこぼれます。

その場は別の販売員が代わってくれたため、事なきを得ました。ですが私は、仕事ができない自分が信じられず、また、会社に迷惑を掛けてしまったことにもひどく落ち込みました。

「久美子、何かあったのが？」

私の様子を見に来た支店長が、優しく声を掛けてきました。

私はこのころ、ふと思うところがありました。順風満帆ではありましたが、自分の販売スタイルに疑問を持ち始めていたのです。

おまんじゅうを追加で買っていただいたあのときから、私はお客さまみんなにお声掛けしていこう、そう決めてこれまで頑張ってきました。ですが、やはりすべてのお客さまにお声掛けすることは物理的に不可能なのです。実際にはできないという現実、そしてなぜできないのか、という自分への焦りと苛立ち。また、

（私は一生懸命声掛けをやってる。自分はこんなに頑張ってるのに、努力しているのに、なんでダメなの？）

そんな奢りも芽生えていたのかもしれません。

「私、小さい頃からずっと人見知りで、落ちこぼれだっけ。でも、そんなダメな私からでもお客さまが物を買ってくださって、ありがとうって言ってもらえて、すごい嬉しいっけの。こんな私でも、人様のお役に立てるんだなって。それで嬉しくて嬉しくて、今日までお声掛けしてきたけど、でも、みんなに声を掛けるの、やっぱり無理だった。私の販売方法、間違ってるのかな。押しつけがましい、ただの独りよがりなのかも……」

今まで抱えていた思いが、次から次へとあふれ出ます。

この日までずっと、お客さまにお声掛けしながら仕事をしてきました。でも、私はもともと人見知りで、初対面の人に話しかけるのにも勇気のいる人間です。もちろん、お客さまとお話をすることは本当に嬉しいのですが、もしかすると知らず知らずのうちに気を遣いすぎて、心が疲れきっていたのかもしれません。

ふと支店長の顔を見ると、目には涙が浮かんでいました。そして、

「久美子、大丈夫だ。頑張れ、頑張れ！」

涙をこぼしながら、肩をたたいてくれたのです。自分の中でモヤモヤとくすぶっていたものを、支店長は全力で受け止めてくれました。たっぷりと話を聞いてもらい、二人でひとしきり泣きました。

その後、私は１週間の休暇をいただき、家で休むことになりました。その間は、仲間たちが休み返上で代わりに勤務してくれることに。私はというと、家にこもってひたすら恐縮しつつも、すべてのお客さまにお声掛けはできない、それでは私自身も疲

弊してしまう。ではどうしたらいいんだろう、と考えていました。どうすれば均等にお声掛けができるのか。そもそも、声を掛けること自体が間違っていたのか。

（声掛けっていう自分の仕事の根幹が間違っていたのなら、もう、いっそのこと仕事を辞めたほうがいいのかもしれない……）

仕事に完璧を求めたいわけではありませんが、いいならいい、駄目なら駄目、というはっきりした答えが欲しかったのです。

1週間、お客さまの立場になって、どうするのがベストか考えてみました。でも、その答えは出ませんでした。結局、頭の中でお客さまの立場になって考えたところで、実際にその立場にはなれないんだ、ということに気づいただけです。お客さまのことを考えるなら、やはり現場に戻ることがベストです。家でうじうじしていても仕方がない。新幹線に乗っているうちに、その答えは見つかるかもしれないのですから。

休暇が終わり、私は職場に復帰しました。「お客さまの立場で考えるのではなく、なりきることが大切なのかもしれない」と思った私は、ときにはお客さまのいない座席に座ってみたり、休日には他の路線に乗り、客として車内販売員の研究もしました。でも、なかなか答えは出ません。私は自分の仕事の方向性が見いだせず、苦しい日々を送っていました。

ありのままでいいんだ

職場に復帰してから数日。まだ悶々とした日々を送る私に、一つの転機が訪れます。

それは一人のお客さまとの出会いでした。

私はまだ仕事の方針に悩んでいる最中でしたが、お客さまの前でそんなそぶりは見せられません。その日も平静を装い、マニュアルどおりに車内販売を行っていました。

東京から山形に向かう新幹線の、ある車両に入ったとき、80歳くらいの男性に声を掛けられました。

「コーヒー、ひとつちょうだい」

「かしこまりました、お客さま」

私はいたって普通にコーヒーを注ぎ、お客さまにお渡しします。

その瞬間、ふと気が抜けたのか、ついやってしまいました。

「あ、砂糖とミルク、どうすっぺ?」

うっかり、山形弁が出てしまったのです!

元から訛りはあるほうですが、「颯爽と歩く販売員が方言なんて喋っていたらかっこ悪い、だから仕事中は標準語でしか喋らない」と決めていた私にとっては、なんとも悲惨な大事件です。格好つけて颯爽と歩いているくせに、「どうすっぺ」だなんて!

(うわっ、やっちゃった。どうか聞かないで、気付かないでー)

男性はポカンとした顔で私を見ています。私は赤くなった顔を必死に隠しながら、そそくさと接客し、足早に立ち去ろうとしました。しかし。

「おまえ、どこの出身なんだ？」

やはりバレていました。私は正直、

（あぁ、めんどくさいな……）

そう思いながら、しぶしぶ座席まで戻りました。今まで、お客さまへのお声掛けを大切にしてきましたが、それはあくまでも商品をお勧めするためのものです。商品とは関係のない話だし、まして私は山形弁で喋りたいわけじゃない。いちいち説明するのが面倒だし、失礼な話ですが、早く立ち去りたいとすら思いました。

「あの、出身は山形です」

小声でそうお伝えし、立ち去ろうとしたその瞬間。男性の顔がパッと明るくなったのが分かりました。

「そうかぁ、実は俺も山形出身なんだよ。今日は、やっと山形に帰れる日なんだ」

それから少しの間、男性はご自身のことを語ってくださいました。昔、寝台就職列車で山形から上京したこと、仕送りをしながら3年に1度ずつ帰ってきていること、そして仕事を退職し、いよいよ山形に帰っていく記念の日であるということ……。

（あれ？　私、いま初めてお客さまから心を開いていただけている気がする）

通りすがりの、きっともう一生会うこともない販売員の私に、お客さまが自分のことを話してくださる。これってすごいことなのかも、と思ったら、「さっさとこの場を立ち去りたい」と考えていたことが申し訳なくなりました。つい方言が出てしまったときよりも、何倍も恥ずかしい思いでした。

ほんの2、3分だったでしょうか。お話しした最後に、男性はぽつりと、

「いやぁ、山形さ帰ってきた気ぃするなぁ」

そう言ってくださったのです。

私には、新幹線の中を飾ったりすることはできません。けれど、もしかしたら方言ひとつで「ここはもう山形ですよ」ということを演出して差し上げることができるの

かもしれない。

今までの私のお声掛けは、「私はあなたに心を開いています」という意思表示のようなものでした。でも、それをすべてのお客さまにはできません。であれば、逆にお客さまから心を開いていただくのはどうだろう。こちらは声を掛けやすい雰囲気を作ればいい。そして私のキーワード、それは「方言」――。

その瞬間、私は天啓を得たように活路を見出せた気がしました。会社に戻ると、さっそくマニュアルを開きます。ですが、そこに「方言を使ってもよい」などということはもちろん書いてありません。

「なに、久美子。真面目ぶって勉強しったのがー？」

そこに山川支店長が、からかいながらやってきました。私は支店長に、今日あったことをすべて話しました。方言が出てしまったこと、初めて人から自分のことについて語ってもらったこと、それがとても嬉しかったこと――。支店長は、うんうんと頷きながら聞いてくれました。

「だから私、これからは方言を使いたい。使ってもいいべか？」

そうお願いしました。すると支店長はう－んと考え、こう言ったのです。

「販売員で一番大切なことはな、お客さまの安全を確保すること。でも、目の前のお客さまが喜んでくれるなら、ときにはマニュアルを気にしなくたっていいんじゃないの」

支店長はやはり、はっきりとした答えはくれませんでした。でもその代わりに、「お客さまが喜んでくださるのか、やってみなさい」という後押しの言葉をくれたのです。

そこで私は、方言をちょっとずつ使ってみることにしました。するとどうでしょう。驚いたことに、お客さまの反応がみるみる変わっていきました。とにかく声を掛けていただき、次の車両になかなか移動できないほどなのです。

今まで私が受けてきた質問というのは、トイレや乗り場の位置、商品の値段など、すべて仕事関連のものだけでした。ですが、

「あなた山形なの？　旅行で来たんだけど、おいしいおそば屋さんはない？」

「自転車をレンタルできるところはある?」

「ここに行くにはどうしたらいいの」

こんなふうに、質問の内容が変わったのです。

私は入社してからというもの、すっかりマニュアルの奴隷になり、それに載っていることだけを忠実に行ってきました。しかし、どうしたらお客さまが喜ぶかなど、そういうことはマニュアルには決して載っていないのです。ですから自分で考え、自分の言葉で答えなくてはなりません。そこでこのような「生きた会話」が生まれたのです。

いろんな質問をいただいて答えるうちに、お客さまとの距離感は自然と縮まっていったような気がします。私は、

「物を売るだけじゃない。それ以外にもまだまだできることがある、お客さまのお役に立てるんだ!」

と嬉しくなりました。すると不思議なことに、あれほど自分を苦しめていたたくさ

んのモヤモヤも、スッと晴れていったのです。

声を掛けられやすい雰囲気をつくる

自分から声を掛けること。この数年間、私はそれが最善の策だと思って行動してきました。でも、自分ばかりが頑張ってお声掛けし、それがまんべんなくできない矛盾に苛立ちや焦りを感じ、結果的に自分をすごく苦しめてしまいました。

「挨拶は自分から率先してするもの」。これまではなんの疑問もなく、それが当然だと思っていました。でもこの出来事をきっかけとして、「なぜかこの人には話してしまう、心を開いてしまう」という、今まで教わらなかった「受けの姿勢」も大切なんじゃないか、と思ったのです。声を掛けられやすい雰囲気をつくる、持つということですね。

このことがあってからは、自分はどんなふうに人と接しているのか、ということがすごく気になるようになりました。自分が喋っているところをビデオに撮り、今まで気付かなかった癖を見つけたりして、自分は人にどう映っているのかをチェックするのです。

今まで私がめざしていたのは、標準語を使い、颯爽と歩くカッコイイ販売員。でも実はそんなふうに気取ったり、格好つけたり、他人によく見られようと頑張る必要なんてまったくなかったのです。ありのままの自分でいれば、気さくな感じが伝わって、それだけで声を掛けやすくなるのですから。

自分らしい接客ができれば、それでいい。だから、これからはお客さまに可愛がられて、たくさん質問をいただける販売員になろう。そして、ときには方言でお話をしたり、手相を見て差し上げたり、クイズを出したりしながら——。

（「物を売るために」ではなく、まずはお客さまと過ごす時間を楽しめばいいんだ）

その思いを胸に、私は新たなスタートを切ったのでした。

第三章

一歩前へ進むための、「気づき」のチカラ

仕事を「天職にする」

私はインタビューなどで、よく「茂木さんがこの仕事を長く続けてこられたのは、やはりその仕事に向いていたということですか」と聞かれるのですが、私はそうだとは思っていません。いろいろな失敗もしてきましたし、思い出すだけで顔が赤くなったり、落ち込んでしまうようなこともたくさんあります。でも、それをそのままにしておくのはちょっと違うかな、とも考えていました。

当時を振り返ると、「自分は本当にいろいろな失敗をしてきたんだなぁ」と思います。

たとえば、こんなことがありました。山形新幹線には、「牛肉弁当」という大人気の駅弁があります。これは車内で希望するお客さまの数を確認し、それを電話でお店に伝え、できたてのお弁当を米沢駅で受け取ってお客さまにお配りする、というシステム。私はその予約数を間違え、少なく発注してしまったのです。このお客さまからは「楽しみにしていたのに！」とお叱りを受けてしまいました。

お客さまには乗車される前からご予約をいただいていたので、特にお怒りが大きかったのだと思います。後悔と申し訳なさに、何度も何度もお詫びを申し上げましたが、最後まで許してはいただけませんでした。楽しい旅行のはずが、自分の失敗のせいで楽しくないものになってしまったのですから、お客さまがお怒りになるのは当然です。

私は失敗したり、辛いことがあると、必ず大泣きしてしまいます。その日も仕事が終わったあと、帰宅する車の中でワーワー泣きました。一人の空間でさんざん泣いて泣いて、すっきりしたあと、

（よし、過ぎたことはもう仕方ない。どうやったら予約のお弁当を忘れないようにできるか考えよう）

そう心に誓いました。

誰だって失敗することは辛いし、恐怖心だって芽生えます。「もう仕事を辞めてしまいたい」と思うことすらあるでしょう。でもそれを乗り越えれば、きっと視野は広

がるはず。大失敗の経験を経てこそ、気づくこともあるのです。

もし「この仕事は自分に向いていないな」、「仕事がつらいな」と思うことがあったなら、まず楽しみを見出すことから始めてみてください。もし失敗して落ち込んでいるなら、勇気を出して改善策を考え、まずやってみる。それを積み重ねていけば、知らず知らずのうちに自分の仕事は「天職」に近づいてゆく。そういうものではないでしょうか。

自身の「気づき」によって、仕事はいくらでも楽しく変えられる。私はそう信じています。この章では、私が車内販売の仕事をするなかで見出した、いくつかの気づきと改善策をお話ししたいと思います。

必殺技誕生！

「クレームはアイデアの宝庫」、そんな言葉をよく耳にしますよね。私が車内販売の仕事をするうえでも、やはりそこから生まれたアイデアはたくさんあります。

社会人になりたての頃は仕事を覚えるのに必死ですから、クレームに耳を傾けるほどの余裕はありません。私も最初の頃は、「大変申し訳ございません！」とただ頭を下げ続けることしかできませんでした。でも、しだいに仕事に慣れてくると、お客さまからのご意見が気になるようになってきます。

（お客さまがこういうことに不満を持っているけど、どうやったら気持ちよく過ごしていただけるかなぁ）

そんなふうに、改善方法に意識が向くようになったのです。

クレームやお客さまのご意見を受けて改善策が発見できたときは、とてつもない喜びがあります。それでお客さまも自分も楽しいときが過ごせるなら、本当に幸せなことです。

これからお話しするのは、お客さまからのご意見や気づきによって改善し、結果的に私の仕事の礎となった「必殺技」の数々です。

その① お釣りをスピーディーに

車内販売では、少しでも早く伺うことが重要です。初めの頃、私は「売りに来るのが遅い！」とお叱りを受けることが多々ありました。人が「商品を欲しい」と思う瞬間を逃してしまえば「もういいや」と思われてしまいますし、これでは売上につながりません。そこで、どうしたら効率よく販売できるかを考えてみることにしました。

まず、単純に「早足で歩けば時間を短縮できる」と考えました。しかし実際にやってみると、お客さまから一言もお声を掛けていただくことなく、車内を一周してしまいました。確かに、猛烈なスピードでワゴンを引く販売員に声を掛けるなんて、かなり勇気がいりますよね。

（それもそうだ、これじゃ本末転倒だ）

そう反省した私は、次に早口でご案内する、ということに挑戦してみました。

「トイレはどこ？」

「あちらです！」

しかしこれでは、お客さまに大変失礼です。おざなりになってしまった対応を詫び、さらに違う方法を模索しました。そしてあるときふと、気づいたのです。（お客さまと接する内容を削ったら、サービスは低下してしまう。だったら、私自身に削れる時間があるかもしれない）

そこでまず浮かんだことは、お釣りをお渡しする時間の短縮でした。

車内販売の流れはこうです。

「すみません、○○をください」

「ありがとうございます。○○円になります」

そこでお客さまは、お財布からお金を出します。その間、私はお金をいただくのを10秒ほどぼーっと待ち、金額を確認してからお釣りを渡します。その時間をまず削減できるはずです。

車内販売の価格は、税込みで10円単位で設定されています。ですから10円以下のお釣りは必要ありません。つまりそれは、お釣りのパターンがある程度予測できるということ。たとえば260円のアイスをお買い上げいただいた場合、300円をいただいて40円のお釣りか、500円玉をいただいて240円のお釣りとなる可能性が高いわけです。お客さまが財布のお札入れや小銭入れ、どちらに手を入れたかなど、手元の動きから出てくる金額を予測し、瞬時に計算してお釣りをお渡しする。これは大きな時間短縮になるとひらめきました。

そのためにはまず、計算力がなければいけません。お話ししたように、私は昔から計算が大の苦手でしたから、まずは暗算をスピーディーに行う練習を積むことにしました。ちょっと恥ずかしいのですが、書店で小学生用の計算ドリルを購入し、毎日家でその問題を解くことを繰り返します。すると、やがてお釣りをお渡しするスピードが上がってきたのが自分でも分かりました。

次に、手の感覚を鍛えることにしました。私たち車内販売員が身につけているエプロンには、大きな2つのポケットがついています。その中はさらに2つに分かれ、合計で4カ所、物を入れることができます。私はこれまで小銭もお札もそのまま適当に入れていたのですが、これではスムーズなやりとりはできませんし、お渡しする金額に間違いが起こる可能性だってあります。

そこで私は、まずポケットの整理から取り組みました。使用頻度の高い千円札は利き手である右手側に、出番のあまりない一万円札、五千円札は左手側に。そして小銭はさらに、大きさで分別することにしました。色を見て判断するのではなく、ポケットに入れた手の感触で判断することで、目はお客さまの動きを追いながら、同時にお釣りを用意できるためです。大きさの異なる１００円玉と５００円玉は右手側に、10円玉と穴のある50円玉は左手側に入れました。

慣れるまでは失敗もありましたが、徐々に指先の感覚が研ぎ澄まされてきたのがよく分かりました。結果的に私は、お客さまがお金を出すと同時にお釣りをお渡しできるまでになったのです。そんな数秒ずつの削減が積み重なり、1度の乗車で通常3往復しかできなかった車内販売が、なんと最大で7往復までできるようになりました。

お客さまの時間を削るのではなく、自分の無駄な時間を削る。そうすることでお客さまをお待たせすることもなくなり、さらにはお声掛けして交流できる時間も増えたのです。

その② バック販売

車内販売を行うなかで、私にはひとつ気になっていたことがありました。ワゴンには常にたくさんの荷物を積んでいるため、どうしても前方に死角ができます。ですからお客さまが通路に足を出されていると、鉄のワゴンの角が当たってしまうことがあるのです。

マニュアルには「ワゴンの扱いに気をつけるように」と書いてあるのですが、注意を払っていてもなかなか防ぎきれるものではありません。「気をつけろ！」と怒鳴られることもしばしばありました。

（ただでさえ重いワゴン、当たったらめっちゃ痛いし、申し訳ないな。どうにかしてぶつけないようにしたいけど……）

そう考えたとき、はっとひらめいたのが「バック販売」でした。

通常、新幹線の端から端まではワゴンを押して販売します。しかし車両の先端までいくと、そこではワゴンを回転させるスペース（連結部分）がないため、その1両分はバックで戻るのです。ワゴンを「押す」のではなく、「引く」わけですね。

「そうだ、試しにすべての車両でバック販売をやってみよう！」

それだったら、ワゴンの進む先にはまず自分の体があるわけだし、直接お客さまに固いワゴンがぶつかることはないかも、と考えたのです。

しかしこのバック販売、ヒールを履き、ガタガタと揺れる車内で120キロのワゴンを引きつづけるわけですから、体力的には相当きついものがあります。この方法を実践している販売員は、数名しかいないのが現状です。

バック販売を始めたところ、もう一つの大きなメリットに気がつきました。それは、お客さまの「商品を欲しいサイン」が必ずキャッチできるということ。

これまで、新幹線の進行方向と同じ向きで販売するときは、お客さまの背後からワゴンを押して進むわけですから、通り過ぎたお客さまの顔を見ることができませんでした。そしてお客さまは商品をお求めになる場合、販売員が横を通るか、もしくは通り過ぎた後ろ姿に「すみません」とお声を掛けていただくしかなかったのです。私がもしお客さまだった場合、後ろ姿に声を掛けるのはちょっと勇気がいるし、タイミングが合わなければまた今度でいいや、となると思います。

しかしこのバック販売なら、そこにいるすべてのお客さまの顔が見えますから、目線や商品を欲しいといったわずかなしぐさも見逃しません。通り過ぎたお客さまに呼び止められてもすぐに伺えますすし、その周囲のお客さまにも声を掛けていただきやすくなります。また、「商品が気になるけど、どうしよう」と迷っているお客さまにも気づき、そこで商品のご説明をすることもできるのです。

もとはといえば「お客さまにワゴンが当たらないように」という理由から始めたバック販売でしたが、それはお客さま全員の顔を見ることができるという、思わぬ効果も生んだのでした。

バック販売では、お客さまのしぐさが一目瞭然

その③　窓を有効活用

「後ろ向きで歩くと、背後にいる人にぶつかったりして危ないのでは？」と皆さん思われるかもしれません。でも、実は私には、さらなる必殺技があります。それは車両の左右にある、大きな窓を活用すること。窓には車内の様子がバッチリ映るので、ミラー代わりになるのです。

窓に目をやれば、自分の後ろにいらっしゃるお客さまが席を立つ、荷物を下ろす、通路を歩いているといった動きが一目瞭然。たとえ後ろ向きで販売しても360度把握でき、死角がなくなりますから、ぶつかることがありません。また、

（あっ、お客さまが自分の方を向いていらっしゃるな）

（あちらのお客さま、財布を出されたから何かお買い上げかな）

そんな一瞬にも気付けるようになったのです。

窓を見ていれば、外の情報もたくさん目に入ります。たとえば、駅で新たにどれく

らいのお客さまが乗り降りされたか。

「いま、自由席に15人ぐらい乗車されたな。家族連れが多かったから、お土産とお菓子を多めに積み込んで伺おう」

「ビジネスマンが多いな。この時間だと、お弁当とビールが売れそう」

こんなふうに、瞬時にワゴンの品揃えを判断することも可能になります。実際に車内を歩いて状態を確認し、そこで積み荷を考えるよりも、大幅な時間の短縮につながりますよね。

また、毎日新幹線に乗車していると、車窓風景でおおよその時間が把握できるようになります。「あの建物が見えてきたから、次の駅まであと5分だな」といった具合に、現在の時刻や次の駅の到着時間が分かるのです。また、

「今日の販売はちょっと時間がかかっているな。そろそろ次の車両に移動しよう」

こんなふうに、「どの風景のときに、自分はどの車両にいる」という目安にも使えて便利です。

また、お客さまによくいただくのが、「次の駅まで何分ですか?」というご質問。

販売員は時刻表と時計を所持しているため「あと○分です」、「○時○分です」と答えることは簡単です。でも、そこでも一工夫。

「まもなく右側にこんな建物が見えてきますので、それを通過したらあと○分です」

もちろん、時間だけをお答えする場合もあります。でも、あえて風景を交えてご案内することで旅の気分が少し盛り上がったり、車窓風景にも目を向けて楽しんでいただければと思います。お客さまから「おかげで、きれいな景色が見られてよかった」と喜びの声をいただけたこともありました。

その④　顔を記憶する

バック販売に慣れてきた私は、次にこう考えるようになりました。

（せっかくお客さまの顔がすべて分かるんだから、それを何かに生かせないかな）

そこで大きめのノートを持ち歩くことにしました。車両を通過するたびに、○号車、座席、どんなお客さまが乗車されているか、何をお買い上げいただいたか、どんなお話をしたか……ということをそれにメモするのです。

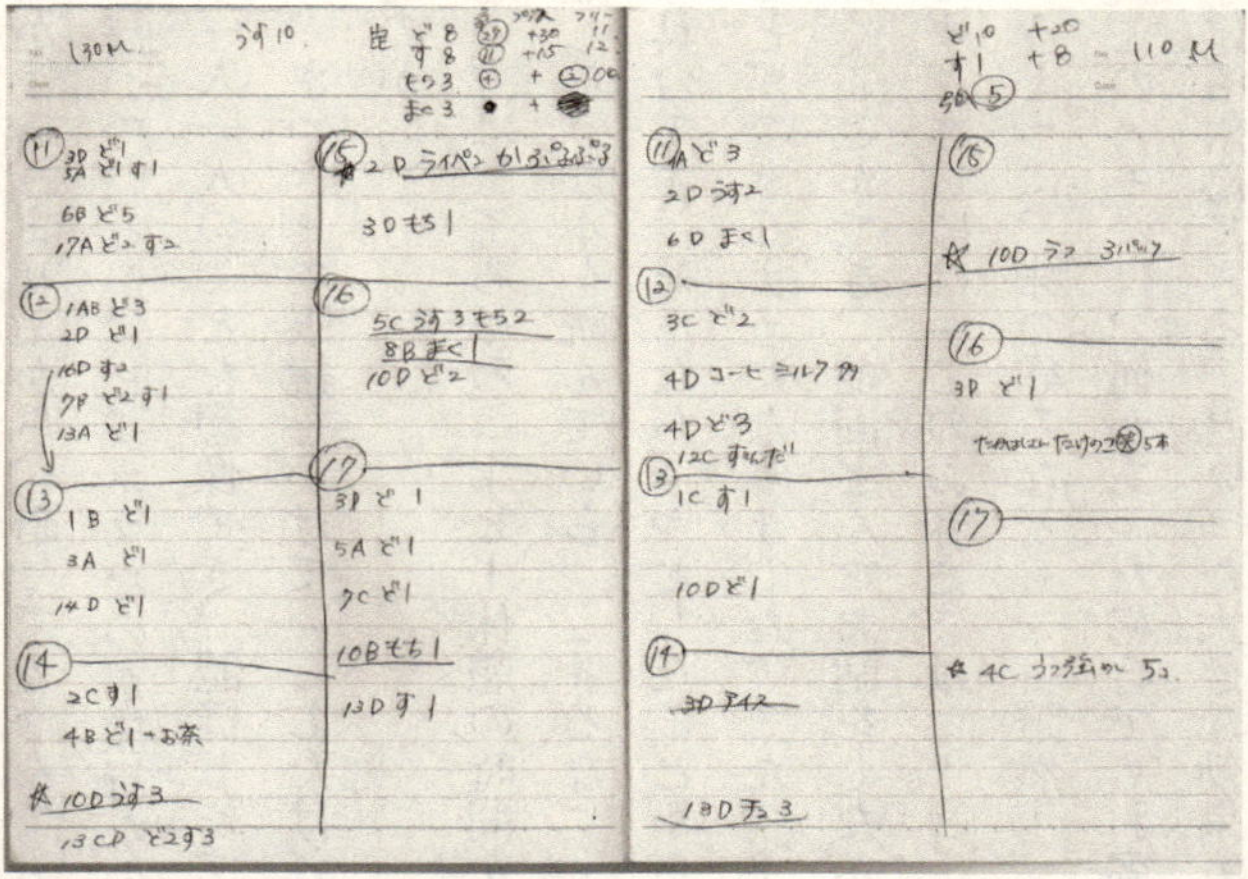

メモの一部。車両、座席、客層、お弁当の注文、どんなお話をしたかなどを書き込みます

時間はかけられませんから、暗号でもなんでも構いません。これによって、どんな持ち物を持っているか、ビジネスなのか旅行なのか、何を必要とされているかなど、お客さま一人一人のことを想像でき、記憶しやすくなりました。たとえば、

（あの方、さっきまで眼鏡をかけていらしたけど、今は外してる。パソコンの作業が終わったのかな）

（あちらの方は、そろそろコーヒー休憩の時間かも）

（随分難しそうな本を読んでいらっしゃるな）

こんな具合です。そんなちょっとしたことからも会話は生まれ、楽しいひとときを過ごすことができるようになりました。また、メモを取ることで常連のお客さまにもすぐ気付くことができ、前回どんなお話をしたかなどを踏まえ、きちんとご挨拶ができるのです。さらには「このお客さまはコーヒーに砂糖を入れないのがお好みだったな」というように、味の好みなども一目瞭然！

また、このメモには、何かあった場合でもお客さまのもとにすぐ向かうことができる、迷子にも対応できる、といった大きな効果もありました。

これらの発見によって、自分の担当車両から「すみません」と販売員を呼び止める声が消えたことが、私にとって何よりの収穫でした。

どんな小さな工夫でも、ひとつひとつ積み重ねてゆけば、それは大きな力になります。自分の販売にもゆとりが持てますし、そして何よりも、お客さまにより充実したサービスをご提供できるのではないでしょうか。

その⑤ 一言添える「プラスアルファのおもてなし」

コーヒー、淹れたてですよ

接客するなかで、私はなるべく一言添えることを心掛けています。たとえば、新幹線内で売っているコーヒー。これは車内で淹れているということを皆さんご存じでしょうか？ 実はあまり知られていないのです。だからご注文いただいてお渡しするときには、私はこう付け加えるようにしています。

「はい、ホットコーヒーです。淹れたてですよ」

「そう言うと、「えっ、インスタントじゃないんだ」と驚かれます。商品に付加価値が生まれますし、ちょっと嬉しいサプライズですよね。

お得情報をプラス！

また、いかにも旅行という感じのお客さまの場合。「どちらまで？」と聞けば、「どこに行くんです」という話になりますよね。その場合は、

「じゃあここにも行ってみてください。私のお勧めです」

「あそこで売ってるお土産は有名ですよ」

「そのお店、この間テレビに出てましたよ」

こんな感じで、お客さまのプラスになるようなお話をします。そのために、いつもネタ集めは惜しみません。ときには、会話の中でキオスク、売店、駅ビルなどのライバル店も紹介します。車内販売のほうが若干割高ですから、それによって売上は落ちてしまうかもしれません。でも、私はそれでもいいと思っています。お客さまが本当に欲しいものを見つけ、喜んでくださったなら、それがベストなのですから。

また、お声掛け後のフォローも大切なことのひとつ。レストランなどで店員さんにお勧めを教えてもらうと、「お味はどうでしたか」、「お口に合いましたか」というフォローをいただくことがありますよね。あれと同じで、たとえばお弁当のお勧めを聞かれて、次にそのお客さまの横を通ったときには、「お味はいかがでしたか？」というフォローをするのです。「声掛けの売りっぱなし」ではなく、自身の発言に責任を持ってフォローをすること。それによってお客さまの満足度も変わってくるような気がします。

もちろん、いつも時間があるわけではありませんから、忙しいときなどは普通に「ありがとうございます」と言って立ち去ることもあります。でも、(さっきは普通に渡しちゃったけど、もっと何かしてさしあげたかったな)

そう思うときには、自分からお客さまのところへ行ってしまうことも。

ただ、時間のないお客さまもいらっしゃいますから、どれぐらいお話しできる時間があるのか、もしくはしないほうがよいのか、とその場の空気を読むことには留意しなければいけません。

お客さまを想像して

ときに、お客さまが欲しいものに対して、違うものをお勧めすることもあります。

あるとき、小さな赤ちゃんを抱っこして、一人で乗車されている女性のお客さまがいました。

「すみません、お弁当はどんなものがありますか?」

そんなご質問をいただき、お弁当のご説明をしたのですが、そのときふと、こう思ったのです。

(お食事をされるみたいだけど、赤ちゃんを抱っこしながらだと、お弁当は食べにくそうだな……)

そこで、「お弁当もありますが、片手で食べやすいサンドウィッチなどもございますよ」とご案内したのです。サンドウィッチとお弁当では倍ほども値段が異なりますから、もちろんお弁当を買っていただいたほうが売上にはつながります。ですが、赤ちゃんを抱きながらお箸を動かしているお客さまのことを想像すれば、やはり食べやすいほうがよいでしょう。そしてそのお客さまからは、「ありがとう、じゃあサンドウィッチをいただこうかしら。実は、けっこう腕がしんどかったの」

とお買い上げいただいたのでした。

私は、前著『雑談接客で売上5倍！』（明日香出版社刊、２０１３）で、自身の接客法を「雑談接客」と名付けました。「雑談といっても、何を話せばいいのか……」と言われてしまうこともあるのですが、「何を話そう」と力んだり、かしこまる必要はありません。こんなふうに、一言添えるだけでもいいのです。そしてそれは、お客さまが何を望まれているかを考えれば、おのずと分かってくることだと思います。

とはいえ私も「あぁ、出しゃばりすぎちゃったかな」、「ちょっと、うっとうしかったかも」と反省することが多々ありましたし、今でもそう思うことはあります。でも、失敗を恐れて常に同じ対応をとってしまえば、いつまでたってもお客さまに心を開いていただけません。

さりげなく自分の言葉を添えること。それは「あなたをちゃんと見ています」というサインでもあります。お客さまのことを想像し、こんなオーダーメイドのおもてなしをすることによって、お客さまとの距離感は縮まっていくのではないか。そんなふうに思えてなりません。

言葉は足りないぐらいでいい

新幹線に乗車されているお客さまが少ないときなどは、少し長くお話をしていても問題ありません。そんな雑談のときは、一度で会話を完結させないこともポイントです。

「じゃあ山形弁クイズです。『こわい』ってどういう意味だと思います？」

それだけ言って、「じゃあ、次に来るときまでに考えていてくださいね。また来ます」と話を切り上げ、去っていきます。もしそんなふうに会話が中断されたら、答えが気になりませんか？　次にそこを通ったとき、つい話しかけたくなりますよね。

「あっ。さっきの、どういう意味なんですか？」

「正解は『くたびれた』ってことだよ。山形に着いたら使ってみて！」

もし最初に正解を教えていたら、「そうなんだ」で会話は終わってしまいます。でもこんなふうに情報が足りていない状態ならば、「もっと知りたい」とこちらに興味を持っていただけます。そして何度か通るたびに会話のキャッチボールをしていけば、自然と顔なじみになってしまうのです。

乗車率が低ければ、必然的に売上は下がる気がしますよね。でも、少ないからこそお客さまにじっくり対応すれば、結果として、売上はさほど下がりません。

方言の効果

私が接客中に方言を使うことは先ほどお話ししましたが、かといって年がら年中、方言を使っていたわけではありません。

最初は「ホットコーヒーにサンドウィッチ……」といつも通りに言いながら車内を歩いて、お客さまが止めてくださるきっかけがあるわけですが、その後が違うのです。

たとえば、「この方は旅行に行かれるんだな」と思えば、山形を楽しんでもらいたいので少し使ってみようかな、となります。でも、仕事目的で乗っている方に突然山形弁で話しかけたところで、驚かれるだけですよね。常に自己開示するのもよいことではありますが、やはり方言を話す、話さないというのは、あくまでもお客さまの雰囲気をつかんでからなのです。

旅行などで乗車されているお客さまには、会話の途中から少しずつ出します。最初から山形弁が出ていると突っ込みどころもないし、それが普通になってしまいますよね。でも、話している途中から方言が出れば、それはすごいギャップになります。もし、

「コーヒーをください」

「ありがとうございます。〇円です。それで、あったかいのとつったいの、どっちがいいべ」

こんな会話になったら、お客さまは「えっ！　さっきまで標準語で喋ってたのに」とびっくりしますよね。二度見されるぐらいの驚きがあるかと思います。そこで「お

姉さん、どこの人なの？」と興味を持っていただけたり、話が大きく弾んだりすることが多々あるのです。

また、その人の接客の姿というのは、まわりのお客さまの目にも必ず入っているもの。楽しく喋っている姿をお見せできれば「楽しそうだな」、「あの人なら話しかけやすそう」という好印象を周囲のお客さまにも与えられるのではないでしょうか。

確かに、方言は誰にも受け入れられるものであるとは限りません。使いようによっては馴れ馴れしかったり、わざとらしいともとられる可能性だってあります。でも、せっかく違う地方に来ているのだったら、その地を楽しんでいただきたい。

私は初めの頃、「方言を使うなんて恥ずかしいから、絶対に嫌だ！」と思っていました。でも、いざ使ってみると、方言には人の心をリラックスさせる効果があるような気がしてなりません。

お客さまの目的は観光や仕事で、そして私たち販売員は物を売っているだけですが、「それだけではないよな」としみじみ思うのです。たとえば、こんなふうに方言ひとつでもお客さまを笑顔にすることができるし、会話で盛り上がることもできます。いずれ、全線区で方言を使う接客ができたら、きっと楽しいでしょうね。

私がここでお話ししてきた工夫の数々は、すべてマニュアルには載っていないこと。お客さまのことをイメージし、どうするのがよいか考えて編み出したものばかりです。

私はもともと、マニュアルにとらわれてばかりいる社員でした。でも、あくまでマニュアルは「ここまでやりましょう」という規範なのであり、言い換えれば、やるべき最低のラインだということ。決してそこがゴールというわけではないのです。

私は、仕事をするうちに「もっと楽しく仕事をしたい」、「どうしたらもっと改善できるか」と考えるようになりました。マニュアルを学び、そのマニュアルを超えた自身のアイデアで挑戦すること。その体験を積み重ねることで、普通の仕事がやがて何ものにも替えがたい「楽しい仕事」になっていったのです。

自分の仕事を、与えられた作業以上のものにできればさまざまな人と心がつながって、きっと楽しく仕事ができるはず。私はそう考えています。

自分に「あと一品」の課題を

私は常に、自分にちょっとした課題を与えるようにしています。車内販売なら、売ることが難しそうなもの、他の販売員が倉庫から持っていかないようなものにあえてチャレンジするのです。たとえばそれは、ピンク色をした「さくらんぼカレー」などのちょっと変わったものや季節の果物、おもちゃなど。それが売れずに残ってしまえば「やっぱり売れなかったね」と笑われてしまいますから、ものすごいプレッシャーです。でも、そのことによって自分を奮い立たせるのです。実はこれは、あのワイン販売からずっと続けてきたこと。

通常のワゴン販売で往復したあと、これらのうちどれか一品を手に持ち、車内を回ります。お菓子やペットボトル飲料のように、必ず売れる商品ではありません。ですから、「買っていただけなくて当然、断られるのは当たり前なんだ」という気持ちを持って伺います。

こんなこともありました。食事時ではない時間に、あえてお弁当を売るのです。

人気の「牛肉弁当」を、予約数よりも多く発注しました。時刻は15時すぎ、車内でお弁当を召し上がっている方はほとんどいらっしゃいません。お弁当は単価が高いため、売れ残ってしまえば大赤字です。私はお弁当を手に持つと、こう言いながら車両にお伺いしました。

「失礼いたします。山形新幹線限定、話題の牛肉弁当をお持ちしました。こちら、大人気のため数量限定です。1箱1300円、お土産にぜひどうぞ」

すると、数人のお客さまがやはり、パッと顔を上げてくださいました。

「ワゴンのお姉さん、次はこんなの売ってるの」

「そうなんですよ。これ、お土産に買っていかれる方も多いんです。すっごいうまくて、私もお勧めなんだずー」

「じゃあ、夕ごはん用に2個買ってみようかな」

そう、いま食べるのではなく、お土産品としてお勧めするのです。「限定」や「大人気」という響きも、ちょっとそそりますよね。そんな感じで、気づけばお弁当はすべて売り切れてしまいました。

なかなか売れない商品でも、ちょっと工夫すれば、お買い上げいただけることがあるのです。通常のワゴン販売で売上を出していても、慢心が生まれれば、そこで成長は止まってしまいます。現状に満足せず、自分に「少し難しい、けれど頑張ればクリアできそうな課題」を与え、それを乗り越えていくこと。それが自分への自信にもつながり、もっと高みをめざせるようになると思うのです。

そして何より、ワゴン販売のあとに再び回ることで、お客さまともう一度つながることができます。

ワゴンで何往復しても、3時間半の中で会話できるお客さまの数は限られます。だからこそ、もっとたくさんのお客さまとふれあいたい。新幹線の中の空間を楽しんでほしい。この手持ち販売には、そんな思いもあるのです。

買わなくたっていい

一言添えて接客し、必殺技で訪れる回数を増やし、顔なじみになる。

そんな私の接客法をお話しして、よく言われるのが「茂木さんのその販売方法なら、リピーターも多いんじゃないですか」ということ。確かに新幹線を往復するなかで、同じお客さまに再度購入していただくことは多々あります。常連のお客さまも増えました。

ですが私は、「別に買ってもらわなくてもいい」と思っています。もうひとつ買っていただきたいから話すという感覚ではなくて、そのひとつの商品に対して、おいしく食べてもらったり、その時間を楽しんでほしい。

販売員を始めたばかりの頃は、「どうやったら買っていただけるかな、もっと買ってほしいな」と思っていました。でも、さまざまな方と接するうちに、「新幹線の中は、お客さまも自分も楽しむ時間なんだ」と考えるようになったのです。すると、「買ってもらわなければ」というプレッシャーもしだいに消えていきました。

お客さまに喜んでいただきたいという気持ちでお話ししていた結果、また買っていただくチャンスが生まれ、気づけば売上が伸びていた、ということかと思います。

「あの販売員さんが来たけど、また面白いこと話してくれるのかな」

「話すついでに、お土産も買おうかな」

最初に回ったときよりも、2回目以降の売上のほうが大きいのは、以前買ってくださった方のそんな思いからなのかもしれません。「もうひとつ買おう」という気持ちは、会話の中から自然と生まれるものなのではないでしょうか。

そして、そのときに商品が売れなくても、「次に乗ったときに買ってみようかな」と思っていただければそれでよいのです。その場で買っていただかなくとも、いつか買っていただけるかもしれない。そう考えれば、すべてが大切なお客さまになります。

また、私は「無理に買わせない」ことも心がけています。初めてのお客さまはもちろんですが、特に常連のお客さまに「買ってあげなきゃ」と思わせないこと。

新人の頃は、どうしても「あの方は常連さんだから、きっとまた買ってくださるだろう」と思いがちです。でも、そんな気持ちでずっと会話していれば、お客さまに苦痛を与えてしまいかねません。

後輩には、常連さんにプレッシャーを与えないようにと指導していますし、私自身も「無理して買わねで、本当に欲しいものだけ買ってけろな」とお客さまにお伝えします。そうすることで、お客さまも安心してお話ししてくださるのです。

常連さんほど、買わせない。気を遣わせない。そして「茂木さん、元気？」というように、無理なく気軽に話しかけていただけるような雰囲気を作ること。それがよい関係性の持続につながるように思えてなりません。

一日の終わりに

仕事を終えて帰宅し、翌日の準備をするときに、私は必ずその日のことを振り返ります。

「あのお客さま、今頃、無事にお家に帰られたかな」

「明日、受験だって言ってたけど、合格するといいな。また帰りに会えたら、さりげなく聞いてみよう」

乗車メモを片手に、そんなことを考えたりします。

また、その日にあった反省や気づき、お客さまからいただいたご指摘などについても考えます。

「よし、今日はいつもよりたくさん回れたな」
「あの商品が団体さんに人気だった」
「お客さま、あのときちょっと困っていたから、次はこうしてみようかな」

成功したことがあれば思いきり自分を褒めて、失敗があればその解決法を考えます。

家族や友人に話を聞いてもらったり、自分のなかで整理することで「明日はこんなふうにやってみよう」、「ああいう場合はこうすればいいんだ」というアイデアも浮かびます。

どんな大失敗をしたとしても、くよくよと悔やむだけでは前に進めません。問題をそのままにしておけば、いずれまた同じ失敗を繰り返すことでしょう。答えを見つけなければ、いつまでも成長はできません。ですから、その日あった問題の答えを見つけてから、一日を終える。雑談ネタの仕込みや、明日のイメージトレーニングも忘れずに。

楽しく、そして今日よりも成長した明日を迎えるために、そしてお客さまによりよいサービスをご提供できるように。この「ひとり反省会」は、今でも毎晩心掛けている大切な時間なのです。

第四章　新幹線は人生の交差点

お客さまの色に染まる――一期一会の出会い

先にもお話ししましたが、新幹線は飛行機と違い、お客さまと終点までご一緒できるとは限りません。一度すれ違ったら、もう次にお会いすることはないかもしれないのです。

車内販売でワゴンを引いていると、仕事も生活もまったく異なる方々が、いろんな思いで新幹線に乗っていらっしゃるんだな、という気持ちになります。旅行、受験、冠婚葬祭、仕事……。目的は異なるけれど、今だけは同じ時間を共有しています。

私は、車内販売をしているとき、ついニコニコと笑顔が出てしまいます。それは作ったものではなくて、自然に出てしまうもの。お客さまとお話しすることが楽しくて楽しくて、つい出てしまうのです。

でも、新幹線の中のお客さまが、皆さん楽しい気持ちで乗車されているわけではありません。

病院に向かわれる方もいらっしゃいます。お父さんとお母さんと病院の先生らしき方が、たくさんの機械がついた未熟児のお子さんを連れて乗車されたことも。どうやら東京の大きい病院に行かれるようで、そんな時にはもう、声掛けなどできません。また、黒いネクタイをされているお客さまやお骨箱をお持ちの方、ご主人の写真とともに旅行されている方など……。それぞれがさまざまな思いを抱えていらっしゃいます。

ですから、常に笑顔でいるのではなく、私は「お客さまの色に染まる」ことができればと考えています。お客さまが悲しんでいたら、一緒に悲しむ。喜んでいれば、一緒に喜ぶ。悩んでいたら、一緒に悩む。相手の話を１００％聞ききり、同じ表情で相づちを打つのです。相手と思いを共有し、受け止めること。それが最良の接客であるように思えてなりません。

新幹線の中は、さまざまな人生の交差点です。この章では、そんな一瞬の出会いの数々をお話ししたいと思います。

「トイレほど深いものはない」？

皆さんの周りでも、鉄道が好きな方というのはいらっしゃるかと思います。ひとえに鉄道好きといっても、音が好きな「音鉄」、写真に収めるのが好きな「撮り鉄」などなど、好きのベクトルはさまざまですよね。そのなかで私が印象深かったのは、「トイレの撮り鉄（？）」です。

ある日、私が新幹線の通路を歩いていると、トイレのドアが開いていました。

（えっ、なんで開いてるんだろう？）

不思議に思ってのぞき込むと、その中には便器の写真を真剣に撮っているお客さまが！　びっくりしてしまい、思わずお客さまに「何をなさっているんですか？」とお声を掛けてしまいました。すると男性は、きっぱりとこう言ったのです。

「トイレほど深いものはないんですよ」

よくよく話をうかがってみると、トイレは新幹線の車両によって形状が異なり、もうなくなってきている型もあるのだとか。乗るたびに違う便器を見られるなんて、こんなに面白いことはない――。そんなお話を10分ほど熱弁してくださいました。

正直、最初は、

（そんなにすごいことなのかなぁ……？）

と失礼にも思ってしまったのですが、お客さまの熱のこもったお話を聞けば聞くほど、私も楽しくなり、興味がわいてきてしまいました。その結果、私も新幹線に乗ったら必ず便器を確認するという習慣がついてしまったのです……。

皆さんも、新幹線に乗車されたら、トイレをチェックしてみてください。

受験で上京中に

こんなこともありました。いつものように、ワゴンを引きながらある車両に入ったときのこと。ふと、通路の前方を見ると、若い男性がうつぶせで倒れています。

「お客さま！　大丈夫ですか」

病気かアクシデントかと思い、あわてて駆け寄ると、なぜか周囲のお客さまはみな大爆笑。

「えっ、もしかしてあれ……寝てるの？」

「うん、寝ちゃってるみたいー」

そう、彼は倒れていたのではなく、熟睡していたのでした。ちょうど受験シーズンまっただ中で、その日も受験生がたくさん乗車していました。席がいっぱいだったので立っているうちに、うとうとと眠りこけ、ついには横になってしまったのです。

（きっと徹夜で勉強したんだろうなぁ、お疲れさま）

できればこのまま寝かせてあげたいな、布団でもかけてあげようか、とも思いましたが、さすがにお客さまが通れなくなってしまいますから、そっと起こしました。

「お客さま、すみません。ここは通路なので、起きていただけますか？」

「あっ、ごめんなさい！」

男性はあわてて飛び起きましたが、このままではちょっとかわいそうです。

「ここはダメだけど、デッキで横になったらどうかな？　こっち側なら終点までドアが開かないから、大丈夫ですよ！」

そんなことを付け加えると、ホッとした顔でデッキに向かい、存分に睡眠をとられたようでした。お客さまはみんな笑いあっているし、車両全体がなんだか一つになっていたのが印象的でしたね。

トラブル発生！

新幹線に乗車していると、いろんなトラブルにも遭遇します。特に私は、車掌に、

「うわ、今日の販売員は茂木か！」

と嫌な顔をされてしまうくらいの「当たり屋」なのです。

お客さまの身に危険が伴うようなときは、自分で最善の策を考え、臨機応変に対応しなければなりません。山形新幹線は在来線の線路を走っていますから、まれに野生動物が接触したり、踏切事故があったりして停止することもあります。また、山形は雪国ですから、大雪の影響でストップしてしまうことも。明け方にやっと新幹線が動き出し、東京に行くはずが山形に戻ってきた、というケースもあるのです。

新幹線に長時間、カンヅメになったこともありました。ある年のお正月明けのこと

です。その日は始発に乗車していたのですが、新幹線が突然、急ブレーキをかけました。

はずみでワゴンごと飛ばされてしまった私を、お客さまが助け起こしてくださいました。緊急事態だと察し、すぐにワゴンを置き、お客さまの無事を確認しながら車掌のもとへと向かいます。すると、原因は倒木による停電だと分かりました。倒れた木が電線を切ってしまい、新幹線が動かなくなったのです。

こうなってしまうと、もう大変です。非常時の対処法はマニュアルにはあるものの、「お客さまが何を求めているか」「どんな気持ちか」は自分で考え、行動するしかありません。

冬の早朝ですから、外はまだ真っ暗。時間が経つにつれ、気温もぐっと下がってきました。予備バッテリーが切れるのも時間の問題です。そこで私は、生意気かもしれませんが、車掌に思い切って相談しました。

「いま、お客さまは7両にバラバラに座ってるけど、つめられるだけつめて、2両ぐらいにできないでしょうか。人が多いほうが暖かいと思うんです」

車掌は私の意見に同意してくれ、アナウンスしてくれました。その間、私は車内を回り、

「冷えますので、できるだけ服を着込んでください」

「大丈夫ですよ」

とお一人お一人に声を掛けていきました。

ストップした当初はただビックリされていたお客さまも、しだいに焦りを感じはじめているようでした。

「いつ動くの？　これじゃ仕事に間に合わないよ」

「どうにかして、東京まで行けないの？」

「寒いし、もう帰らせて！」

車掌は車外や支店との対応に追われているため、車内で対処できるのは私一人しかいません。

「大丈夫です！　いま助けを呼んでいますから、落ち着いて、みんなで頑張りましょ

う。よろしくお願いします！」

本音を言えば、私も不安でいっぱいでした。こんな大きなトラブルは今までなかったのです。でも、販売員が不安になっていては、お客さまにもそれが伝わってしまいます。

（今はとにかく、お客さまを安心させなきゃ。まず何からすべきだろう）

そこでまず、お腹を満たして落ち着いていただくことにしました。温かいお茶やコーヒーを無料で配り、売れる商品はすべて倉庫から出します。でも、新幹線に非常食などのストックはありません。ついには何も売る物がなくなってしまいました。

ちょうどよく駅で止まれば、お茶やお弁当が買えたり、外に出ることもできます。ですが、いま止まっているのは、福島の手前の山間部。ここは風が強く、サルやカモシカやクマなどの野生動物が接触したり、冬は大雪で止まることもある「魔の地帯」なのです。電波も通じなければ灯りもない、もちろん駅やスーパーもないようなところですから、新幹線の中でじっと復旧を待つか、救助を待つしかありません。

（販売はできないけど、お客さまのところへ伺おう。きっとみんな不安なはずだか

ら、話を聞いて、私がすべて受け止めるんだ)

そう思い、すべてのお客さまにお声を掛けていきました。

やっとお客さまが落ち着かれた頃、次のトラブルに見舞われました。電気系統がすべて駄目になったことで、トイレの水洗が機能せず、使えなくなってしまったのです。

(何かいいアイデアはないかな、トイレに使えそうなものは……)

倉庫で使えそうなものはないか探していると、ビール缶が入っていた段ボール箱が目に入りました。これです！　空箱をカッターでくり抜き、ビニールを敷くと、トイレに設置しました。「簡易型おまる」のできあがりです。これなら水洗が使えなくても、その都度ビニールを取り替えれば、トイレとして使うことができます。

新幹線はこういう非常時のために、トイレットペーパーを多めに積んでいます。しかし、いつしかそれも底をついてしまいました。

「トイレに行ったんだけど、紙がないよ！」

今度はそんなお客さまが私のところに押し寄せました。でも、ないものはどうしようもありません。

「ティッシュペーパーをお持ちの方はください！　ご協力をお願いします！」

お一人お一人に聞く時間もありませんので、車内で大声で呼びかけました。すると皆さんが「これ使って」、「こっちにもあるよ」と協力してくれ、事なきを得たのです。

もちろん、こんなこともマニュアルには載っていません。でも、もはや正しいか、正しくないかという状態の話ではないので、やるしかないのです。

数時間後、近くまでバスが迎えに来ることになりました。新幹線からすべてのお客さまが降りたのを見届け、私も最後に新幹線を降ります。

バスに乗り込んだ瞬間、誰からともなく大きな拍手が起こりました。びっくりしていると、近くの席に座ったお客さまが「あなた、よく頑張ったわね！」と言ってくださいました。新幹線が止まるという大きなトラブルでしたが、いつしかお客さまたちに連帯感が生まれていたことに嬉しくなり、また、安堵したことでつい涙がこぼれ、ワーッと泣いてしまいました。

その後、私はＪＲから、このときの対応について表彰をいただくことができました。緊急時の対応として、マニュアルにないことを行うのは勇気がいります。私の行動が完璧だったかどうかは、今でも分かりません。でも、お客さまが何を望んでいるか、どうしたら安全にお過ごしいただけるかということを考えれば、おのずと行動はできるようになるのかもしれない。そう強く思った出来事でした。

新幹線内でのトラブルといえば、ほかにもスリや置き引きなどの犯罪から、お客さま同士のトラブルまでさまざまです。他のお客さまへのクレームなどは、当人ではなく、私たち販売員にまず寄せられます。

もし「あのお客さん、うるさいから黙らせて！」と言われれば、やはり注意しなければいけません。少しお話ししてから、「他のお客さまもいらっしゃいますので……」

ありますというように、やんわりとお願いします。デッキにお誘いしてからお願いすることも

そういう対応は、最初はすごく嫌でした。若い頃は「どうして私が」とか「車掌さんに言ってほしいな」と思っていましたが、年を取るにつれ、しだいにその考えも変わっていきました。

「こういうのもぜんぶ含めて、お客さまが安心、快適に過ごせるようにすること。それが私の仕事なんだな」

そんなふうに思えるようになったのです。

急病人です！

新幹線に乗っていて、体調を悪くされる方もいらっしゃいます。

あるとき、若いご夫婦が乗車されていました。奥さまのお腹はふっくらしていて、とても幸せそうに微笑んでいます。

（きっともうすぐ生まれるんだろうな。男の子かな、女の子かな）

つられてニコニコしながら、横を通り過ぎました。

しかしその数分後、とつぜん車内が騒がしくなりました。見れば先ほどの女性がうずくまっています。急に産気づかれたようで、もう破水しているとのこと。周囲は「出る、出る！」と大騒ぎですし、旦那さまもパニックを起こしています。

私は車掌室へと走りました。こういう非常事態のとき、新幹線から降ろすかどうかという判断は、私たち販売員にはできません。車掌が最終的な判断を下すのです。

その後、車掌が電話で支店に伝え、次の駅で救急車を待つことになりました。新幹線は緊急停車し、私は駅のホームのベンチに奥さまを座らせ、ブランケットをかけて背中をさすります。やがて到着した担架で奥さまは搬送されていき、事なきを得たのでした。

また、新幹線の中でお客さまが意識不明になってしまったこともあります。

車内販売で自由席の車両にうかがうと、おじいちゃん、おばあちゃん、お父さん、お母さんの4人家族のお客さまが座っていました。

「すみません、お弁当をください」

お母さんがそう言って、「どれがいいかな」、「これもおいしそうだね」とワゴンを見てみんなが選んでいます。しかし、おじいちゃんの反応だけがありません。

（あれっ、眠っているのかな？）

そう思ってのぞき込むと、その顔は真っ青で、意識ももうろうとしているようです。瞬時に「ただごとではない」と気づきました。私が「おじいちゃん！」ととっさに叫ぶと、家族はそこで初めて、異変に気づいたようでした。

「いま車掌さんを呼んでくるから、そのまま待っていて！　体を揺らさないで」

たまたま電波の届かない区間だったため、携帯電話も車内の公衆電話もつながりません。私はワゴンを置くと、車掌室へ向かいました。その途中、

「急病人です！　お客さまの中でお医者さまはいらっしゃいませんか」

と叫んでいると、運良くお医者さまが乗車されていました。すぐにおじいちゃんのもとへ向かってもらい、私は急いで車掌室へと走ります。

こういう場合は、マニュアルでは「車掌をすぐに呼びにいくこと」と書いてありま

す。でも、ここは17号車。そして車掌がいるのは11号車の先です。車掌を呼びにいく間に容態が急変する可能性だってあります。ですから人命最優先で考え、行動するしかありません。

「車掌さん、急病人です。急いで！」

息も絶え絶えに車掌室のドアを叩き、驚いた顔の車掌に事情を説明すると、二人でおじいちゃんのところへ向かいました。

すると、先ほどのお医者さまがちゃんと見てくれていました。でも意識は戻らず、やはり危険な状態です。お医者さまがお父さんを説得し、次の駅で降りることになりました。駅に到着すると、車掌が手配した担架が待っていて、おじいちゃんは病院に搬送されていきました。

しばらくして、私たちの支店にご家族から連絡がありました。一命を取り留め、無事に退院されたとの報せに、一同はホッと胸をなで下ろしました。

わずか3時間半という短い時間のなかで、命にかかわるようなことはそうそう起こるものではありません。だから本当に怖かったですし、身の引き締まるような出来事でした。

窓の外の富士山

さて、東京―新庄間を走る「つばさ」ですが、実はこの新幹線からも富士山が見えることを皆さんご存じでしょうか？　小ぶりですが、天気がよければ大宮駅付近で見えるときがあるのです。これは、そんな富士山にまつわるお話です。

ある日、東京から新庄に向かう下りの新幹線でのこと。いつものようにワゴンを引きながら車両に入ると、奥の席には登山に行かれる団体のお客さまがいました。

（楽しそうだなぁ。どの山に登られるんだろう）

そんなことを考えながらワゴンを引いていると、

「お姉さん、コーヒーちょうだい」

年配のおばあちゃまからご注文をいただきました。２列席の窓際に座っていて、通路側には30代ほどのビジネスマンが相席されています。難しい顔でパソコンを開き、仕事をしているようでした。

「ありがとうございます。少々お待ちください」

コーヒーをコップに注ぎながら、ふと、

（もしかしてこのおばあちゃま、富士山に気づいていないかも）

そう思いました。それならぜひとも教えて差し上げたい、そんな気持ちがむくむくとわき上がります。私はまるで秘密を打ち明けるかのように、小声でおばあちゃまにこう言いました。

「実は今日、富士山が見えるんですけど、ご覧になりましたか？」

「えぇ？　東日本で見えるわけないべー！」

そう、この一言を待っていたのです。目を丸くするおばあちゃまに、私は続けてこう言いました。

「お客さま、見えるんです。雲ひとつないときにだけ、富士山が見えるんですよ」

「本当に!?　どこどこ？」

「あちらです。あちらのほうにもうすぐ……」

あ、話に引き込まれてるな、と気付きました。声のトーンと間をうまく使えば、

「富士山が見える」というだけの話でも、特別なものになるのです。

　これはおばあちゃまにだけ話していたのですが、私の身振り手振りに、まず登山姿のお客さまが気付きました。すると、みるみるうちにその車両のお客さますべてが富士山の方角を向きます。

「えっ、富士山が見えるの」

「どこどこ？　どのへんに？」

　そして、いよいよ顔を出した富士山に、あちこちからわぁっと歓声があがりました。立場も行き先もそれぞれ異なるお客さまが、富士山をきっかけとしてひとつになったのです。

　ふと、隣に座ったビジネスマンのお客さまの手が止まりました。顔を上げ、おばあちゃまの向こうの窓を見ています。

「まさか富士山が見られるなんて」

　感激するおばあちゃまの横で、ビジネスマンのお客さまが、

「本当だ。富士山、きれいですね」

そう言いました。振り返ったおばあちゃまの顔もほころんでいます。

「あなたどこまで行くの？」

「自分はこれから会議で、○○の駅まで行くんです」

「あらそうなの。私はね、これから同級会で、温泉に入りに行くのよ……」

お二人の会話がはじまったので、私は「また来ますね」と言って業務に戻りました。

その三、四十分後。車内を往復して再び戻ってくると、お二人はまだ楽しそうに会話されていました。

「あっ、ちょっとお姉ちゃん。アイスクリーム二つ、けろ！」

私の姿を見つけるやいなや、おばあちゃまが弾んだ声で呼び止めました。

（あ、もしかしたら二人で食べるのかな）

おばあちゃまがビジネスマンのお客さまにひとつ渡し、二人は仲良くアイスクリームの蓋を開けます。さっきまでパソコンとにらめっこしていたビジネスマンのお客さまが、ゆったりとした笑顔になっているのが印象的でした。

きっとどちらかが新幹線を降りるまで、その交流は続くのでしょう。新幹線の中のひととき、それは長い人生からみればほんの一瞬にしかすぎません。でも、そんな一瞬でも心から楽しむことができたなら、とてもいいですよね。

そしていつか、また新幹線に乗ったときに、

（あぁ、あのときはみんなで富士山を見たっけ）

（一緒にアイスクリーム食べたなぁ）

そんなふうに思い出してもらえたなら、販売員としてもこんなに嬉しいことはありません。

このとき買っていただいたコーヒーやアイスクリームは、どの新幹線で買っても味は一緒です。でも、こんなシチュエーションだったら、きっとそれは世界一おいしいものになれます。新幹線や商品を通して、私たちはこんなふうにお客さまのお役に立つことができるんだ――。そう思えた出来事でした。

サプライズの誕生日

その日のとある車両は、団体のお客さまで埋まっていました。それぞれが申し込むタイプのツアーのようで、個人や夫婦、家族連れなど、お客さまはすべてバラバラです。お土産を広げたり、写真を眺めたりして、それぞれが旅行話に花を咲かせていました。

「すみません、アイスをもらえますか」

一組のご夫婦の旦那さんから、ご注文をいただきました。

「はい、ありがとうございます」

「俺、実は今日、誕生日なんだよ！　でも、さすがにケーキは扱っていないだろうから、アイスをもらおうかと思って」

「お誕生日なんですね！　おめでとうございます。ケーキはないけど、アイスでお祝いですね」

そんな会話を交わして車両を後にしました。

（1年に一度の誕生日、せっかくだから何かしてさしあげたいなぁ）

でも、私には何も手持ちがありません。そのときたまたま、ドアの近くに座っていた若い男性が車両から出てきました。

「ねぇ、あの男性は今日が誕生日らしいんだけど、お祝いはした？」

「いや、何もしてないよ」

「じゃあ、ちょっとここで待ってて！」

私はダッシュで倉庫へ行き、何かいいアイテムはないか探しました。ふと目に入ったのは、ビール用の段ボール箱。その空箱をカッターで切り、一面に自分のメモ紙をペタペタと貼り付けます。段ボール紙だし、ガムテープは貼ってあるしで、見た目はあまり綺麗とはいえません。それを小脇に抱えると、私はさっきのところに急いで戻りました。

「お願いがあるんだけど、これを車内のみんなに回して、最後にあの旦那さんに渡してくれないかな」

そう、段ボール箱を色紙にして、お客さま方に寄せ書きをしていただこうと考えたのです。

ツアーで集まった方々ですから、一堂に会すことはもう二度とないでしょう。でも、その空間に一緒にいたこと、そして誕生日だということを記念にしたかったのです。

若い男性は私の計画を聞いて、「よし、任せてください」と胸を張りました。

その後、新幹線は東京駅に無事到着。お客さまが次々と下車されるなか、色紙を託した男性と車内ですれ違いました。

「さっきはどうもありがとう。どうでしたか？」

先ほどのお礼を言うと、男性からは「大成功でした！」との返事が。そして彼は、渡したときの様子を語ってくれました。全員が快く寄せ書きをしてくれ、笑顔でコッソリと回覧したこと、色紙を渡しながら、車内のみんなでハッピーバースデーの歌を歌ったこと、旦那さんが顔を赤くしながら、とても嬉しそうに笑ってくれたこと……。

数日後、会社に一通の手紙が届きました。封筒の宛先には、〈名前も知らない つばさ142号の車内販売員さんへ〉そう書いてあります。みんなで開封してみると、差出人はあの色紙をもらった旦那さんでした。

「あの日、知らないみんなから車内で素敵なプレゼントをいただきました。それをあなたが声掛けしてくれたのだと知って、本当に嬉しかった。あのとき言えなかったお礼をどうしても言いたかったのです。こんなに心に残る誕生日は、生まれて初めてでした。どうもありがとう」

決して、お礼を言っていただきたいという気持ちで接客をしているわけではないのですが、実際にこんなお手紙をいただくと、やはり顔がほころんでしまいます。みんなバラバラだった車内がひとつになって、男性がお祝いされる様子が目に浮かぶようでした。

この色紙のお話をすると、よく「勇気がありますね」とびっくりされるのですが、それよりもむしろ、何かしたいけど自分にはできない、と悔やむのがいちばん嫌なのです。

私は、人を巻き込んで何かすることが大好きです。もしそれで、その方が喜んでくれるなら、私は客寄せパンダでも何でもいい。何かやってみて、もし怒られたなら、私がすべて引き受ければ済む話なのですから。

お金をかければ、豪華なお祝いだってすることができます。でも、お金をかけなくても、勤務中で時間があまりなくても、こんなふうに「イベント」を作ることはできるのです。

折り紙をくれた男の子

数年経った今でも強く印象に残っている、ある男の子がいます。

私は東京から新庄へ向かう、下りの新幹線に乗車していました。1回目の車内販売のとき、幼稚園児の男の子とそのお母さんに気づきました。男の子は窓側に座っていて、すごくそわそわしている感じです。2回目にそこへ戻ってきたとき、男の子は折り紙で遊んでいました。でもやはり、どこかそわそわしています。じっとしていられないのかな、移動中だから暇なのかな、なんて思いながら、そこを通り過ぎました。

新幹線内を1周し終え、車内販売用倉庫の近くのデッキで商品の積み込みを行っていたときです。ふと、先ほどの男の子が視界に入りました。私と目が合うと、「お姉さーん」と言いながらニコニコと近づいてきます。

「どうしたの？　じっとしてられなかったんだべ」

「うん」

3、4歳ぐらいの、ちょっと生意気そうな、かわいい子です。

「俺よ、いまお父さんさ会ってきたんだ！　おもちゃもいっぱい買ってもらってよー」

「いっぱい買ってもらったんだ、よかったね。じゃあ山形に帰ってから、おもちゃでいっぱい遊べるね！」

そんな世間話をしていると、その子が「じゃあねー」と席に戻っていくので、「ゆっくりしてけなー」と言って、私も業務に戻りました。

車内販売で再び親子の横を通ると、男の子は、また折り紙をしたり、何か書いたりしています。通路側にはお母さんが座っているのですが、子どもに関心がないような雰囲気で、また、とても疲れているようでした。

（何かあったのかな……）

そんなことを思いながら販売を終え、先ほどのデッキに戻ると、男の子がまた遊びに来てくれました。

「はい、プレゼント！」

男の子はそう言って、何かを私の手にのせました。お花の形をした、折り紙でした。

「私にくれるの？　ありがとう、大事にするね」

男の子は相変わらずニコニコしています。小さな手で、せっせと折り紙をしていた先ほどの姿が浮かびました。子どもらしい純粋な気持ちが伝わってきて、どんな高価なものよりも嬉しいプレゼントでした。

1時間ほどして、男の子がまたひょっこりと私のところへ来ました。

「なに、折り紙、もう飽きちゃったのー？」

ちょっとからかうと、その男の子はもじもじして、ぽろっとこうこぼしたのです。

「実はよー、俺のお父さんとお母さん、離婚してるんだず。今日は東京で久々にお父さんさ会ってきて、その帰りなんだ。でも、おもちゃいっぱい買ってもらった！」

瞬間、いろんな感情が胸の中にわき上がり、思わずその子をぎゅっと抱きしめました。

離婚という、大人でも辛い出来事を、こんな小さな子どもが全身で受け止めている。もしかしたら「離婚」という意味すら分かっていないかもしれないけれど、こんな小さな体で、お父さんに会えない寂しさや会えた嬉しさ、「お母さんを守っていかなきゃ」という思いを抱えて、ニコニコと笑っているのです。

（きょう初めて出会った私に、こんなことを打ち明けてくれた。でも、私は何をしてあげられるんだろう。この子はいま、どんな気持ちなの）

そう考えると私はもう何も言えず、ただただ泣きながら、その子を抱きしめることしかできませんでした。

男の子は笑いながら、その後もたくさん話をしてくれました。将来の夢や幼稚園での出来事、好きな子の話など……。

「俺、好きな子がいるんだけど、〇〇くんもその子が好きなんだ」

「たいへん。三角関係だ」

「うん。でも俺弱いから、その子の前で〇〇くんにちょっかい出されると、絶対負けちゃうんだずー」

「そうかぁ。みんな仲良くできたらいいけど、もしやめてって言っても駄目なら、同じように蹴っ飛ばしちゃえ！　そうしたら相手も、こうされたら痛いんだって気づくはずだよ」

私が真剣にアドバイスをすると、男の子は「うん、分かった！」と元気よく答えました。

私はただの通りすがりの車内販売員で、きっともう二度と会うことはないでしょう。この子も、今日この新幹線であったことはきっと忘れてしまいます。でも、この子が大人になったとき、何かのきっかけでこの一緒に過ごした時間を思い出してもらえたら、何かを感じるきっかけになれたら、と思いました。

しばらくして、新幹線はその男の子が降りる駅に到着しました。

私は男の子を見送りに、ドアまで向かいます。

「ありがとうね、プレゼント」

「うん、またね！」

不思議そうな顔をしたお母さんに手を引かれて、その子は歩いていきました。遠ざかる小さな背中を見送りながら、

（頑張って、強く生きろよ）

そう願わずにはいられませんでした。

たくさんのご縁は宝物

新幹線の中は一期一会。でも、一度のお客さまとの出会いが、その後も長いご縁となって続いていることもあります。

ある日、いつものように車内販売をしていると、50代ぐらいの男性に日本酒をお買い上げいただきました。普通に接客をしましたが、どことなく男性のご様子がおかしいような……。お酒をグイッと飲まれているその表情が沈んでいて、ちっとも楽しそうではありません。私は気になりながらも違う車両に行き、数十分後、再びその車両に戻ってきました。すると、またその男性からお声が掛かりました。

「お姉さん、もう2本、日本酒を置いていってくれ」

さすがに心配になった私は、山形弁で尋ねました。

「お客さん、なんかしたが……？」

すると、沈んでいた男性の目から、みるみる涙があふれました。

「実は、息子が危篤でよ。これから横浜の病院さ行くんだけど、もう無理みたいで……。どうしたらいいか分からなくて、酒を飲むしかないんだ」

悲痛な男性の言葉を聞いた瞬間、自分の中でさまざまな思いが交錯しました。

（息子さんは、私と同年代ぐらいだろうか。親よりも先に子どもが亡くなってしまうなんて、どれだけ辛いか……。いま、男性はどんな気持ちでこの日本酒を飲んでいたんだろう）

そう思うと、もうどんな言葉も掛けられず、お客さまと一緒にワーッと泣いてしまいました。

仕事中なのでずっとお話を聞くことはできませんが、ワゴンで回りながら、そのお客さまのところを通るたびに一緒に泣き、「また来ますから」と声を掛け続けたことを覚えています。

それから数年後。いつものように車内販売をしていると、そこには見覚えのあるお顔がありました。そう、あのときのお客さまです。一度お会いしたきりなのに、お互いすぐに「あっ！」と気がつきました。私は前著でこのエピソードに触れ、お客さまはテレビで私の姿を見て「あのときの販売員さん、頑張っているんだな」と思っていてくださったそうです。それから私たちはあの日のこと、その後のことなど、たくさんお話をしました。男性は少し、息子さんの死から立ち直られているようでした。

そして「どうぞお元気で」と別れた、その3日後。地元である山形県天童市で講演をすることになっていた私は、会場で再び、その男性とお会いすることになります。どうやらインターネットで講演会があることを知り、わざわざ駆けつけてくださったとのこと。最前列に座る男性をどうしてもご紹介したいと思い、このエピソードを皆さんにお話ししたあと、壇上に上がっていただきました。

「あの日はもう辛くて、お酒に溺れるしかありませんでした。でも、久美子さんが優しく声を掛けてくれて、そうしたらなぜか、全部話してしまったんです」

男性は涙ながらに、そう話してくださいました。

このご縁には、まだ続きがあります。縁とは本当に不思議なもので、その後、偶然にも男性のもう一人の息子さんとお会いする機会がありました。息子さんは、

「あのとき、横浜に向かう父に、どう声を掛けていいか分からなかったんです。でも、茂木さんが父に寄り添って、一緒に泣いてくれたことで救われました。本当にありがとうございました」

そう言ってくださり、こちらこそ感謝の気持ちでいっぱいなのでした。

「なんかしたが？」、ふとした一言から始まったこのご縁は、いまでも続いています。

こんなこともありました。

いつも仕事で乗車される、サラリーマンのお客さまがいました。男性は50代で、会社を経営されているとのこと。溌剌《はつらつ》としたお姿が印象的で、奥さまと乗車されることもたびたびあり、お会いすれば必ずお話しする常連さんでした。

しかし、あるときからぱったりとお目にかからなくなりました。どうしたのだろうと不思議に思っていると、ある日、その奥さまと息子さんだけが乗車されていました。ひさびさにお会いできた嬉しさから、私は声をお掛けしました。

「こんにちは。最近お見かけしなかったので、どうされたのかなと思っていました。

旦那さんはお変わりありませんか？」

すると突然、奥さまの目からボロボロと大粒の涙が。驚く私に、奥さまは、

「実はね、うちの人、一ヶ月前に亡くなったの……」

そうおっしゃいました。どうやら、急なご病気でお亡くなりになったとのこと。つい最近までバリバリと仕事をされていた姿が目に浮かび、ショックのあまり頭が真っ白になって、一緒に泣いてしまいました。隣に座る息子さんが気丈に振る舞う姿を見て、さらに涙がこぼれます。

二人でひとしきり泣いたあと、奥さまは近況を語ってくださいました。ご主人亡きあと、息子さんと二人で会社を切り盛りされていることなどを……。

その後も、出張に行かれる奥さまや、大きくなった息子さんと何度もお目にかかりました。こちらが「こんにちは。気をつけてお出かけくださいね」と言えば、奥さまはいつも「講演会で忙しそうだけど、体に気をつけてね」と優しく声を掛けてくださいます。そこにはもはや「お客さま」と「販売員」というだけではない関係性があるような気がしてなりません。

こんなふうに、お客さまと一緒に泣いたり、笑ったり、励まし合ったり。「感情がくるくる変わって、久美子は疲れたりしないの？」と友人に言われることもあります。でも私は、常に心をオープンにして、お客さまと同じ思いを共有したい。お客さまの明るい色や悲しい色、さまざまな感情と同じ色に染まり、販売員というだけでなく、友だちやお姉さん、娘というような、身近な存在としてお客さまに寄り添えればと考えています。

第五章　気持ちひとつで、どこまでも行ける

インストラクターになりたい

皆さん、実は車内販売員には「ランク」が付けられていることをご存じでしょうか？

1年目までの新人が「トレーニー」、それ以上が「アテンダント」、インストラクターのアシスタント的な「リーダー」、全線区で20人ほどの「インストラクター」、インストラクターのなかで人材教育も重点的に行う「チーフインストラクター」と分類されているのです。車内販売員のネームプレートを見れば、それぞれの色と星の数（1～4つ）で、ランクが分かるようになっています。

昇格していくために必要なのは、販売売上ではなく、「いかにマニュアルを守り、正しく後輩の指導にあたれるか」ということ。どれだけ売上がよくても、これができていないようなら、インストラクターにはなれません。

私は、この仕事を辞める前、全線区で3名しかいない「チーフインストラクター」を務めていました。しかし、それまでの道のりは長いものでした。

先にお話ししたように、山形支店の一期生はわずか数名しか残りませんでした。ですから、誰も先輩のいない状態で私がリーダーになるというのは、必然のことだったのです。しかし、インストラクターは違います。まず、筆記テストと支店長の面接を受けなければいけません。そして推薦を受けることができれば、本社でまた筆記試験を受けます。この段階で、全国で20名ほどに絞られます。その本社の試験と選考会をパスして初めて、インストラクターを名乗ることができるのです。

選考会は、2泊3日で行われます。実技試験は、後輩への指導法や販売のシミュレーションなどを行い、それをインストラクターやチーフインストラクターがチェックするというもの。

選考会は1年に1度あり、毎年行われています。初めて選考会に参加した年、私は、他の販売員とのレベルの違いに愕然としました。そこにはインストラクターの試験を受ける人だけでなく、チーフインストラクターの試験を受ける人もいるので、傍目にもハイレベルなのが分かります。

私は当時、まだまだギャルっぽさが抜けなかったとはいえ、山形でリーダーを務めていて、後輩の指導にもあたっていました。

「仕事に対する挑み方に売上実績、指導力は誰よりもあるはず！」

と自信満々で、その選考会へ行ったのです。

しかし、選考会で見た彼女たちの振る舞いやしぐさ、マナーは完璧で、まるで飛行機の客室乗務員さんのようにスマートでした。ガツン！と頭を殴られ、現実を思い知らされたような気持ちでした。

私はというと、先輩がいるわけでもなく、ただマニュアルを読んで勉強してきただけ。ですから、どうしても自己流のクセのようなものが身についていました。

しかも、ベテランのマナー講師に意見もしてしまいました。お辞儀には会釈、敬礼、最敬礼と3つのパターンがあり、それぞれ角度が異なります。先生はそれに忠実に、「もっと頭を下げて」、「角度はこうよ！」と熱心に指導してくださいました。でも、その頃の私は強気でしたから、

「おじぎって、深ければ深いほど心を表すんじゃないでしょうか？」

そう言ってしまったのです。

「ごめんなさい」や「ありがとうございました」は心を表すものだから、何度という角度を忠実に守るのは必要なのか？　と違和感を覚えての発言でした。

瞬間、先生の眉間にしわが寄ったのが分かりました。

（あ、まずいこと言っちゃったかな）

そう思いましたが、後の祭りです。マニュアルをちゃんとこなせなかったことに加え、そんなこともあってか、私は選考会を通過することはできませんでした。

私はそれまで、なんとなく「インストラクターになれたらいいな」という憧れに近い気持ちでいたように思います。でも、そんな生半可な気持ちでは到底受からない、ということを身をもって知りました。みんな真剣な気持ちで、情熱をもって選考会に来ているのです。その完成された接客ぶりは美しいものでしたし、

「私もあんなふうになりたい、来年こそはインストラクターになりたい！」

と強く思いました。

仕事をするうち、「おもてなし」とは、きちんとしたマナーがあってこそだということも分かってきました。そして後輩に指導をするなら、自己流のクセがつかないように、やはり正しいマナーが必要不可欠なのだということも。

その後、私はリーダーとしてまた1年間務め、翌年の選考会で無事、インストラクターになることができたのでした。

後輩に指導する立場として

新人への対応

仕事を始めてすぐ先輩になった私は、あっという間に後輩を指導する立場になりました。新人にはマニュアルと正しいマナーを身に付けさせることはもちろんですが、それよりも大切にしているのは、自分の頭で考えさせること。そして、そのうえで「この仕事って楽しいな」と思ってもらうことです。

以前、同僚が一斉に退職してしまったとき、「もう仲間が減るのは嫌だ」と強く思いました。だから新人が入ってきたときに、山形支店のカラーを明るいものにしたかった。10人採用して何人残るか、というような状況が長く続いたので、年上も年下も関係なく、毎日楽しく仕事に来られるような環境にしたかったのです。

どの仕事でもそうだと思いますが、この車内販売員の募集にも、さまざまな境遇の人がやってきます。引っ込み思案な子、口下手な子、家庭を持っている主婦、学校を中退してきた子……。きっとみんな、ここに来るまでにすごく勇気がいったことと思うのです。

私も以前は、「うっせえんだず！」と大人に反抗ばかりしているフリーターでした。でも、そんな自分を変えたくて応募したのです。もしかすると、彼女たちも同じような気持ちで応募してきたのかもしれません。であれば、後輩には絶対に楽しんで仕事をしてもらいたい、自分に自信を持ってほしい、と強く思いました。

新人教育の際、私は「これをしなさい」と指示するのではなく、まず一緒に仕事をすることにしています。そして、そのあと一人でやらせてみて、思いきり褒めます。「すごいね！　どんな感じで売ってきたの？」と聞き、相手にそのときの話をしてもらうのです。

たとえば、お昼の時間に乗車したとき。

「この時間帯はお弁当が売れるから、多めに積んでね」

そのように具体的に教えることは簡単です。でも、それよりも、

「昨日よりはちょっと売れなかったけど、でも、お客さまとこんなお話ができて楽しかったよね。明日はもっと売れて、お客さまとも、もっとお話しできたらいいよね」

こんなふうに体験を共有できたなら、一日を振り返って、「この仕事、楽しいかも」と感じてもらえるのではないでしょうか。

マニュアルやマナーは、仕事をするうちに自然と身に付けていくことができます。でも、仕事を楽しむということは、最初から必ずできるものではありません。新人教育で大切なのは、まず楽しいと思ってもらうこと。それに尽きます。

研修期間が終われば、新人の販売員でも一人でワゴンを引いて販売に回らねばなりません。だから自分に自信を持って、この仕事を楽しいと感じてほしいと思っています。

また、私が大事にしているもう一つのことは、新人がミスをしても頭ごなしに叱らないということ。新人といっても、教えて素直に分かる子、分からない子、時間がかかる子と、さまざまなタイプがいます。一人一人、理解力は異なるわけです。入ったばかりなのですからミスをするのは当然ですし、本人にとってもそれはショックなことでしょう。そこを「なんでできないの！」と怒ってしまっては元も子もありません。

たとえば、お釣りを間違えてしまった、という場合なら、その子からゆっくり状況を聞き出し、まず落ち着かせます。それでもし、お客さまがまだ気づいていないようであれば、「じゃあ、まずはお客さまに謝って、お釣りをお渡しすればいいね」と順序立てて話をします。状況を把握したうえで、今すべきことを分からせる。そのうえで、

「私もお客さまに謝るから、安心して。もしそれでもお客さまが怒ったら、一緒に怒られよう。私も一生懸命謝るから、大丈夫だよ」

そう言って安心させます。

口で伝えるほうがもちろん簡単ですが、先輩が自分のミスで一緒に謝る姿を見せること、これが大切なのではないでしょうか。

たとえば、電話でのクレームの対処法としては、まず一次受けの人がそのご意見を一通り聞き、次に管理職などの別の人に代わり、すると次第にお客さまの気持ちがおさまっていく……ということはありますよね。

でも、対面での謝罪の場合、あえてその子と一緒に行き、先輩が一緒に謝る姿を見せるほうが効果的ではないでしょうか。それによってお客さまが落ち着いていくさまが分かったり、「みんなに悪いことしちゃったな、もうやらないように気をつけよう」と思ってもらえたり、その「気づき」がポイントだと思うのです。

いまは新人でも、いずれ誰かを教える立場になります。もしかしたら、会社を辞めて違うところに就職するということもあるかもしれません。どこでどんな仕事をするにしても、指導する立場になったときにこのことをふと思い出し、何かを感じ取ってもらえればいいと思います。

中堅への対応

お客さまの対応に慣れ、販売も板に付いてきた3、4年目ぐらいの中堅販売員は、自己流のやり方をつくってしまうことがあります。新人の頃は覚えることも多く、きちんとマナーが守られているのですが、しだいにマンネリ化してきて、いろいろなことを省略したりしてしまうのです。

たとえば、コーヒーをお渡しする前には必ず「砂糖とミルクはおつけしますか?」とうかがうのですが、それを「めんどくさい」という理由で、コーヒーと一緒にすべて渡してしまったり……。マニュアルにとらわれないように、とはいうものの、決められた手順には必ず理由があるのですから、そこは守らねばなりません。

「どうして教えたようにやってくれないの」と言いたくなる気持ちもあります。でも、ここはぐっとこらえどころ。その子も販売員としてこれまで務めてきた実績があるのですから、否定してはいけないのです。

そこで私は、まず「どうしてそういうやり方になったの?」と尋ねます。もしそこで言葉を濁すようなら、「じゃあもう一度、正しいやり方を教えるね」と、何度も教えます。

また、その子の長所を褒めてから「実はお願いがあるんだ」と切り出したり、たとえばコーヒーの渡し方なら、「手順を守りなさい」ではなく、「砂糖とミルク、コーヒーを全部一緒にお渡しすると、お客さまが熱いコーヒーをこぼしてやけどをしてしまう危険性があるから、手順は守ってね」というように、具体的に説明するということも心掛けています。

仕事に慣れてくると、いろいろなことに意識が向かなくなることもあります。たとえば「〇〇円からお預かりします」などの間違った言葉遣いやアピアランス（身だしなみ）。アピアランスにはチェックシートがあり、その決まりは20項目ほど。たとえば、次のようなものがあります。

・清潔で健康的な感じの化粧をしているか
・制服の丈や形をくずしていないか
・マニキュアの色は透明か

・ストッキングは肌の色に近いものを着用しているか
・靴はきちんと磨いてあるか
・ピアスや指輪などのアクセサリーはつけていないか
・ビジネス用の時計をしているか
・香水はつけていないか

また、髪の毛の色もそうです。髪色の明るさは日本ヘアカラー協会第8番の色まで、と細かく規定があります。守っていない子には、私が新人の頃に愛用していた黒いスプレーを渡したりすることもあるのですが、こういう小さなことでも、繰り返し繰り返し、教えていくしかありません。

新人指導でも少し触れましたが、後輩は先輩の姿を見て学んでいくもの。先輩の姿は、良くも悪くも後輩に影響してしまいますから、自分一人だけで済む問題ではありません。本人の意識が変わるまで、とにかく根気強く向き合っていくしかないのです。

毎日同じ仕事をしていれば、確かにモチベーションを維持することは難しいかもしれません。でも、接客業において「毎日同じ」ということはないのです。いらっしゃるのは、毎日異なるお客さま。もし常連さんであっても、そのときそのときで気分やコンディションは異なります。ですから、その場に応じた接客が必要とされるわけです。その「ライブ感」を大切にして、精一杯その日の仕事に取り組んでほしいと思っています。

チームで働くということ

後輩の指導にあたるとき、私の頭にいつもあるのは、上司の山川支店長のこと。先にも少し触れましたが、私がまだ新人の頃、支店長は私に「こうしなさい」とは一言も言いませんでした。必ず相手に考えさせるのです。

「こうしたいけど、どうでしょうか」と私が言えば、「じゃあ、まずはやってみたら」、こんな具合です。

それで、もし失敗したら「じゃあどうしたらうまくいくと思う？」と相手を促し、成功したら「それで、それで？」とすごく話を聞いてくれ、「偉い！　よくやった」と思いきり褒めてくれるのです。でも、私が間違った方向に行きそうなときには、きちんと叱ることも忘れません。

10代、20代の若い頃、私はとにかく支店長に褒められるのが嬉しくて、売上を伸ばし続けていました。でも、あるとき、支店長にこう言われたのです。

「久美子は販売がうまいから、乗車率の高い新幹線に乗ってもらってる。でも、一人だけ売上が突出していても駄目なんだよ」

衝撃的な一言でした。

「えっ、なんで？　こんなに売上を伸ばしてるのに、それだけじゃ駄目なの？」

「みんなで、チームで頑張ってほしいんだ。だって、もしいま久美子がいなくなったら、誰も育っていないまま、ただ売上が落ちるだけだべ？」

その当時は、「そうかなぁ」、「私、あまり必要とされてないのかな……」と落ち込みもしたのですが、自分に後輩ができてからは、あのときの言葉を素直に受け取れるようになりました。

「自分が、自分が」という気持ちで仕事をしていれば、いつまでたっても後輩は育ちません。でも、もし自分がいなくなっても、みんなで頑張っていればその仕事はうまく回っていく。そして、それぞれが得たスキルやノウハウを受け継いでいくことができれば、それはやがて企業の大きな財産になっていくのです。

山川支店長の数々の教えがなければ、私はいつまでもマニュアル人間のままでしたし、きっと今の自分はなかったと思います。後輩に教える立場になってからというもの、私はいつも「支店長だったら、こんなときどうするか」と考えるようになりました。会えない日が続いても、いつも私の心の中には、めざすべき存在の支店長がいるのです。

ダメダメな私を見てほしい

その後、私はインストラクターから昇格し、25歳でチーフインストラクターになりました。テレビに出演させていただける機会も増えました。

しかし、私は完璧な超人ではありません。失敗はするし、悩むし、落ち込んでボロボロ泣いてしまうことだってたくさんあります。後輩には、そんな「茂木久美子らしい姿」をもっと見てもらいたいと思いました。そうすることで、「カリスマ販売員っていっても、この人も普通の人間なんだな」と安心してもらいたいのです。

ビジネスマナーの研修では、よく「仕事中は笑顔とお辞儀を欠かさずに」と教わりますね。それはもちろん大切なことです。でも私は、笑顔よりも表情を重視したい。一緒に泣いたり笑ったり、心から謝罪をしたりと、真剣にやっている表情を見せることのほうが大切かな、と思うのです。私はマナー講師ではないし、その道の専門家でもありません。でも、そんな一生懸命な姿ほど格好いいものはないよな、という気がします。そしてお客さまや仲間たちと同じ気持ちを共有できたとき、そこで初めて一体感が生まれるのではないでしょうか。

私は、いつでもなんでも相談できる、身近な先輩でありたいと思います。ですから後輩には積極的に自分から話しかけます。職場の雰囲気は、管理職によって作られるもの。ピリピリした上司がいたら、場は引き締まるけれど、部下は萎縮してしまうかもしれません。山形支店の場合は、お母さんのような存在の支店長をはじめ、みんな家族のように和気あいあいです。そしてチーフの私がギャルでしたから、良いのか悪いのか、販売員はちょっとメイクの濃いギャルでいっぱい！ だから「山形支店さんって、なんかすごいね」なんて、他の支店からは苦笑されていました。でも、他の支店よりも売上はいいし、なによりもみんな助け合っていきいきと働いているし、本当に雰囲気のよい職場だったと思います。

作り笑顔ではなく、自然な表情で。格好つけずに、素直に。いつでも身近な存在として、お客さまや仲間たちのさまざまな色に染まれたらいいですよね。

新たな第一歩

2012年5月、私は大好きだった車内販売員の仕事を卒業しました。それまでは「カリスマ販売員」として講演会に呼んでいただき、年間150回ほどの講演と車内販売の仕事を並行して行っていました。車内販売のない日に講演を行い、ホテルや会社の寮で暮らし、そのまま新幹線に乗るという毎日です。気づけば3年ほど家に帰っていませんでした。宿泊で考えると、なんと1080泊1081日！　ちょっとびっくりですよね。

忙しさに目が回るようでしたが、その日々はたくさんの方とお会いでき、とても充実した楽しいものでした。

そんななか、ひとつの大きな転機が訪れます。それは2011年3月11日に起きた、東日本大震災でした。

車内販売が休みだったその日。私は講演の仕事をするため、東京にいました。お昼すぎ、講演の準備をしていたところ、小さな揺れを感じました。

（あれ、地震かな）

ふと手を止めると、その揺れは次第に激しくなっていきました。パニックになり、山形の営業所や、友だちや家族に電話をかけますが、一向につながりません。東京に知り合いのいない私は、何が起きたのか分からずに、しばらくただ呆然とその場に立ちつくすしかありませんでした。その後、最寄りの駅に向かいましたが、もちろん電車は動いていません。

関係者から、その日の講演がキャンセルになったと知らされました。そして、この揺れで東北地方がやられているらしい、ということも。翌日の講演会場は、宮城県の松島町でした。

ホテルにずっと泊まり続けるわけにもいかず、私は動き出した東海道新幹線で兄のいる京都に向かい、数日を過ごしました。そこで見たテレビの映像に、目が釘付けになりながら……。何度目かの電話でやっと山形支店に電話がつながると、東京駅の宿泊所や東京の本社はもう満杯だから、新潟経由で帰ってこい、とのことです。新潟から何時間もかけて山形へ到着すると、真っ先に営業所へ走りました。そこで見たのは、自宅に戻れずに、営業所で何日も寝泊まりしている後輩たちの姿。

胸が痛みました。

停電で真っ暗な中、ろうそくの灯りだけで夜をしのいでいた同僚たち。どれだけ不安や心労があったかは計り知れません。講演会でその場にいなかった自分が情けなく、申し訳なくなりました。

地震の影響で、新幹線はもちろん、在来線もすべてストップしています。物流も滞りました。山形駅は封鎖され、私たち販売員ができることといえば、倉庫にあるわずかな商品を駅の外で売店形式で売ることだけです。

同僚はみな、給料は出ないものと思って勤務していました。しかし支店長が「働いた分のお給料は出します」、キッパリとそう言いました。営業所としては、売る物がないため採算がとれず、大赤字です。そんななか、従業員の給料を出すのはとても大変なことで、きっとそれはすごい決断でした。

その後、2、3週間ほどで山形新幹線は一部復旧、1カ月ほどで全線が復旧しました。ひさびさの新幹線に乗り込むと、お客さまはみな悲痛な、でもその気持ちをどこにぶつけていいのか分からないような、そんな表情をされていました。

「また地震が来たら、この新幹線、大丈夫なの？」

「止まったらどうしよう……」

そんな声も聞こえてきます。余震が続いていましたから、私も本当は不安でいっぱいでした。でも、その不安を車内販売員が顔に出すわけにはいきません。

私はこれまで、気さくにお客さまとお話しする販売を行ってきましたが、もはやそんなことをできる状態ではありませんでした。観光客や普通のビジネス客などもちろんいないわけで、乗車されているのは、ほとんどが災害復旧関係の方、そして被災された方なのですから当然です。当時はまだ東北新幹線が復旧しておらず、「つばさ」で東京から山形へ向かい、そこから公共の交通機関で仙台に向かわれる方が多くいらっしゃいました。

営業所の社内ミーティングでは、「こんな状態なのだから、とにかくお客さまの安全、安心を第一に。そしてさまざまな質問がくるだろうから、どう答えるか考えよう」と話し合いました。でもそれだけではなく、お客さまのお話をいっぱい聞こう、そういう方針で乗車することにしたのです。私たち販売員がそのときできることといえば、お客さまのお話に耳を傾けること、それだけでした。

リュックサックを背負ったお客さまは、仮設住宅に向かわれるようでした。家族が亡くなった方、津波の影響で山形へと転居される方も大勢乗車されています。

仙台に住む友人に連絡がつかない、という大学生もいました。東京からこの新幹線で山形へ向かい、そこからバスで仙台へ向かうとのこと。

「東北に来たことがないから、どうやったら現地まで行けるか分からないけど、とにかく行くしかなくて。でも、もう覚悟はしてるんです。もし友だちの亡きがらを見つけたら、僕が受け取り人にならなきゃいけないので――」

誰かに話をしなければ、辛くてきっと押しつぶされてしまう。そんな状況なのでしょう。お客さまの気持ちを想像すると、どんな慰めの言葉も出ませんでした。ボロボロと涙が止まらず、二人で一緒に泣きました。

話を聞く、それは自分の意見を申し述べるとかそういうレベルではなく、とにかく聞き切るということ。お客さまには辛さや苦しさ、不安をすべて吐き出してもらおう。吐いて、吐いて、私はそれを全力で受け止めようと思いました。

できれば、お客さまには笑顔でいていただきたい。笑顔で会って、笑顔で帰っていただきたい。でも、目の前にいるお客さまに本気で寄り添うならば、嬉しいことでも悲しいことでも、そのお客さまと一緒の感情を共有することが大切なんだ——。改めてそう感じさせられた瞬間でした。

3カ月ほど、その状態が続きました。さまざまなお客さまのお話をうかがうなかで、

(生きているって、それだけですごい奇跡なんだな。一人の人間として与えられた時間、この生かされている時間を、私はこれからどう生きていくべきなんだろう)

そう深く考えるようになりました。きっとあのとき、皆さんも同じことを思われていたことでしょう。

18歳でこの仕事に就き、気付けばもう15年。楽しいことも辛いこともあったけれど、とても充実していて、それは自分で手に入れた確実な「茂木久美子の居場所」でした。相談しあったり、笑いあったり、私の毎日には新幹線で出会ったお客さまたちがいました。

でも、よりたくさんの人と出会いたい。講演やセミナーでもっとたくさんの人を元気にして、生きていきたい。そう強く思うようになったのです。

長年勤めた会社を辞めるというのは、やはり勇気がいりました。でも、これは自分への挑戦でもあります。職場の仲間は驚き、引き留めてくれましたが、私の固い決意を知ると、笑顔で背中を押してくれたのでした。

第六章　成長し続けること

講演会での出会い

世の中を元気にしたい。私の経験が誰かのためになるなら、何でもやろう。車内販売員を退職したあと、その思いはより強くなりました。

全国各地に講演で呼んでいただき、年間200回ほど講演をさせていただけるようになりました。また、それは自治体や一般企業、病院などさまざまで、本当にありがたく思っています。

私がお伝えできることは、新幹線の車内販売員という職業で得た仕事術や考え方です。でも、どんな仕事であっても、その先には必ずお客さまがいます。「お客さまのことを第一に考え、行動する」ことは一緒なのです。私の経験が、そのことを心に留めたり、新たに何かを考えていただくための一助となれば、これほど嬉しいことはありません。

講演会では、いろいろな質問もいただきます。この章では、そのことについて少し触れたいと思います。

ケース1　百貨店販売員の場合

私が講演会で特に聞かれるのは、「茂木さんがこの立場なら、どう解決しますか」ということ。

たとえばそれが百貨店で、「もうちょっと売上を伸ばしたい」ということなら、私はこう考えます。もし自分のお店にお客さまの欲しい商品がなかった場合、他のテナントに似たものがあれば、そちらをお勧めするのです。「ライバル店を勧めるなんて！」と驚かれるかもしれません。でも、「どうしてこの店員さん、違うお店のものを勧めたんだろう」と気になりませんか？　勧めたお店に行ったときにまた思い出してもらい、次に寄ってもらえれば、自分のお店の売上にだってつながる可能性がありますよね。

これは、ある有名な百貨店の販売員さんも実際に行っている手法だそうです。お客さまにないとは言わない、どのお店にあるかお調べして、教えてさしあげる。「ノーと断らない接客」、これは大切なことですよね。

また、せっかくテナントがたくさん入っているわけですから、それぞれのお店のお得な情報を共有し、教えてさしあげます。

「今日、このお店はセールをやっていますよ」

「あのお店、こういう商品もあるみたいですよ」

「そういえば最近、こういうものが流行っていますよね」

お客さまに「ん？」と感じてもらえるような、そんな変化球を投げるのです。

たとえば、百貨店の鞄店にバッグを買いにいって「ありがとうございます」と商品を受け取ったとしましょう。そこで、

「実は10時から地下の食品売り場でタイムセールがあるんですよ。お肉がすべて半額なんです！」

そう言われたなら、「えっ！　じゃあ寄っていこうかな」と興味を持ちますよね。

そしてそのあと、「あのお店の店員さん、またお得なことを教えてくれるかもしれない。また今度寄ろうかな」と思うかもしれませんし、お店自体が訪れやすい雰囲気にもなりますよね。

先にお話ししたように、私は新幹線の車内販売でも、キオスクや駅ビルなどライバル店のお得な情報をお客さまにお伝えしていました。すると、再びそのお客さまがいらしたときに、

「この間教えてもらったおかげで、いいものが買えたわ。また何かあったら教えてね。ひとつ、あなたからも何か買おうかしら」

と言っていただくことがあったのです。もちろん、これは私の経験でしかありませんから、それが必ずしもうまくいくとは限りません。でも、自分のお店だけで頑張るのではなく、お店全体で助け合うこと。その助け合いでプラスとなることがあるのではないでしょうか。

各店舗の販売員さんたちの交流があって、こんなふうにどんどん紹介していけば、お店とお店が線でつながります。そしてそれが全体的な売上へとつながるのではないでしょうか。お客さまは何かを買いに百貨店へいらしているわけですから、もっともっとお得な話が聞ければ、もっと欲しくなるんじゃないかな、と思います。

ケース2　街の靴屋さんの場合

また、何をすれば売上が伸びるか、ということを一緒に考えることもあります。そのときには自分の販売経験や、自分がお客さまの立場だったら、という視点でお店の強みやこだわりをお聞きします。たとえば街の小さな靴屋さんに、いま流行のものが置いてあって売れたとしても、その流行が終われば、ただその繰り返しにしかなりません。他に安い店があれば、そちらにお客さまは流れていくだけです。ですが、

「自分の店では、疲れにくい歩き方の研修をしています」

「靴を見て、お客さまの歩き方のクセを改善します」

そんな強みがあれば、それだけで魅力的ですよね。普通なら、どんどん靴を履いて歩いてもらって、駄目になったら交換してもらえば単純に売上は伸びるわけです。でも、そこで「歩き方をこう変えて、長く履いてくださいね」と言われたら、お客さまもきっと、「えっ、どうして」と気になるはず。

「気になることがあったら、また聞きに来ようかな」

「靴を新調するけど、どんなものが自分の足に合うか聞きながら買おう」

そんなふうに、リピーターになってくださるかもしれません。

売り上げに結びつくから、結びつかないから、という目先の話ではなく、お客さまにどうなっていただきたいか、という長い目で見ること。靴を通してお客さまに健康になっていただく、快適に過ごしていただくという、靴そのものの原点に還ってもらえれば、結果的に売上は伸びるような気がしてなりません。

物を売ることによって、お客さまを幸せにしたり、抱えている問題が解決されること。それがサービス業の本質だと私は思うのです。

ケース3　ホテル・旅館の場合

ホテルや旅館にお勤めの方には、こんな質問をよくいただきます。

「お客さまが喜んでいただくためにいろいろとしたいけれど、自分が勝手にやっていいものなのでしょうか」

どこまでやったらOKか、ここまでやったらやりすぎではないか、という線引きは難しいものですよね。

たとえば、これは私が新幹線の中でやっていたことですが、小さなお子さまにペットボトルのジュースを買っていただいたとき、普通はただ商品を渡すだけだと思います。でも、私は必ず「蓋、開けようか？」と聞くのです。

これによって、まずそのお子さまがどんな子なのかが分かります。ちょっと恥ずかしがったり、「ありがとう」や「うん」の一言で終わる場合もあるし、「自分で開けられるよー」と、意思を伝えてくる場合もあります。それによってこちらも接客の仕方を変えていくのです。

でも、後輩にそういう話をすると、

「蓋を開けることまでやったら、やりすぎになりませんか」

「自分がそれをやってもいいんでしょうか」

と、すごく不安になるようでした。でもそれは、やっていいのか悪いのかを悩んでいるのではなく、本当はやりたいけれど、組織の中で「お前だけ何をやっているんだ」と言われたり、お客さまに拒否されることが怖いから尻込みしているだけだと思うのです。

だから私は、後輩にこう答えます。

「お客さまのためにしてさしあげたいと考えるのは、素晴らしいことだよ。悪いことをしているわけではないのだから、自分を信じてまずやってみればいいよ。そしてどんどんやっていけば、次第に自信もついてくるはず。そうすればきっと、周りの人だって後ろ指なんて指さないんじゃないかな」

とはいえもちろん、距離感も大切です。最初からいきなり馴れ馴れしくしては駄目ですし、「ここまで踏み込んでよい」という距離も人によってさまざま。どこまで踏み込むか、どこで引くか。このことはもう、経験で培っていくしかありません。

以前、私があるホテルに宿泊したとき、心に残るサービスをしていただいたことがありました。

翌日は早い時間から講演の仕事をいただいていたので、フロントの方と、たまたまこういう会話をしたのです。

「明日は早くチェックアウトするのですが、フロントにはどなたかいらっしゃいますか？」

「はい、おりますので大丈夫ですよ。何時くらいに起きられますか？」

「飛行機の時間があるので、○時には起きなきゃいけないんです」

「では、○時にモーニングコールをいたしましょうか」

そこで、私はありがたくお願いすることにしました。

その翌朝、本当に時間ぴったりに電話をいただけたことに感動していると、さらなる驚きが私を待っていました。

「早朝なので、なかなかお食事をされるのが難しいかと思います。移動の際に食べやすいものをご用意しましたので、もしよろしければお持ちください」

びっくりして部屋のドアを開けると、そこには紙袋に包まれたパンとジュースがありました。淹れたての温かいコーヒーも入っています。値段うんぬんではなく、それ以上の価値あるサービスをいただいて、驚きとともに胸が温かくなりました。こういうサプライズは何よりのおもてなしですよね。

また、宿泊するホテルへの道が分からなくなってしまい、電話をかけたところ、ホテルの方がわざわざ走って迎えに来てくださったこともありました。普通なら、その角を曲がって、直進して、などと電話で教えてくれれば済む話ですよね。しかもその日は大雨、地面はびしゃびしゃです。

これらのサービスが、マニュアルにあることなのかどうかは分かりません。でも、もし「困っているんだな、じゃあ、今はそんなに忙しくないから行けるな」と思って来てくれたのであれば、またこのホテルに泊まりたいな、と強く思いますよね。

何かやってみたいと思ったら、勇気を出して実行してみてください。お客さまのためだと考えてのことなら、それはきっとよいことなのですから。

ケース4 営業の場合

「どうすればいいか」ではなく、悩みを打ちあけていただくこともあります。以前、営業の仕事をされている方が、こうおっしゃいました。

「営業というと、どうしても相手の方に身構えられてしまうんです。仕事だから契約はとらなければいけないし、でもお客さまにはいらないと突っぱねられてしまって、もう自信をなくしてしまいました」

ふと、ヨーロッパ旅行を賭けたワイン販売の記憶がよみがえります。結果的には「特別感を演出する」ということで自信がつき、売上を伸ばすことができました。ですが、そのコツをつかむまでは、やはり買っていただけないことが多かったのです。断られ、断られ続けて、「いいんです、それでもまた来ます」という言葉だけ残して、車両に足を運ぶこと数回。また、買うか買わないかを判断するのはお客さまですから、「いかがですか」、「買ってください」とは絶対に言わずに、行きやすい自分の雰囲気というものも作りながら。

すると、行けば行くほど、その訪問回数によって買っていないお客さまも、買ってくださるお客さまも、皆さんが知り合いのような感覚になってくるのが分かりました。そして何回も行ったほうが、かえって接客にゆとりができてくる、ということも。和気あいあいとお話ししているうち、周りのお客さまからも次々とお声が掛かるようになったのです。

まず行かなければ売れませんし、断られれば自分自身を否定されたようで、やはりショックです。でも、足を運べば運んだだけ、親近感は湧いてきます。「お客さまから声を掛けられる自分」ができてくるのです。

「買ってもらおう」と焦らなくていいのです。まずは断られたって構いません。自分の商品は素晴らしいんです、と自信を持ち、時間をかけて、お客さまが心を開いてくださるのを待つ。そうすれば「買ってください」と直接言わなくとも、結果はついてくるはずです。

この「クロージング」という交渉の手法は、営業の方はおそらくしっかりと学ばれていることでしょう。ですから、私の話など、新鮮味に欠けることかもしれません。ですから「断られてもいいんですよ、むしろ断られてあたりまえ！」、私はそう言って背中を押したいと思います。

これまで、年間200回、のべ10万人以上の方々に講演をしてまいりました。恐れ多いですが、管理職の方やベテランの方に対して講演をさせていただくこともあります。まだまだ未熟な私の話に耳を傾けていただけること、本当に感謝しております。皆さまとお話しさせていただき、「私、まだまだだなぁ。もっと勉強しなきゃ」と思うことも多々あります。現状でとどまることなく、どんどん吸収し、成長して、進化してゆく自分となって、これからも皆さまとお話しさせていただければと思っています。

次の夢に向かって

2013年のある日。私は一日限定で車内販売を行うことになりました。

場所は山形新幹線ではなく、在来線の「フラワー長井線」。フラワー長井線は、山形県南陽市の赤湯駅から白鷹町の荒砥《あらと》駅まで約30キロを結ぶ、2両編成ののどかな電車です。映画『スウィングガールズ』に登場したことを記念に、そのラッピング車両を走らせたり、ウサギの駅長がいたりと、ちょっとユニークな電車なのです。その車

「チーム茂木」のみなさんと

両を貸し切りにし、イベントを行いました。

私の車内販売や講演などで顔見知りになった方々の輪が広がり、いつしか「チーム茂木」という集いができました。ありがたいことに、その皆さんにこのイベントを主催していただいたのです。

いよいよ、60分間の旅が始まります。オリジナルの乗車証明書を作り、車内で配ります。売り物は、自分で作ったTシャツなどのほかに、通常時に販売している商品をお借りしました。古巣である日本レストランエンタプライズの山形営業所からも貸していただけることになり、懐かしのワゴンを引いて販売します。

こうして車内販売をしていると、当時のことを懐かしく思い出します。ただがむしゃらに仕事をしてきた十数年だったけれど、気づけばたくさんの人が見守り、支えてくれていました。職場の仲間、友人、家族、新幹線のお客さま、講演を聴いてくださった方々……。

こうしてお客さまと対話していると、ふと「もう一度、車内販売の仕事がしたい」という気持ちになることもあります。でも、セミナー講師として生活するなかで、私には新たな目標ができました。

それは「学校」をつくること。たとえば販売の技術を教えてもいいし、社会に出てさまざまな迷いを抱えている人に、仕事の楽しさを教えてあげられるような授業でもいい。とにかく、その「学校」に集まってくる人に合った内容を教えてあげることができたらと思っています。できれば私の他にもう一人ぐらい講師がいて、一緒に「合宿」方式でやれたらいいですね。

こんな突拍子のないことも考えます。たとえば販売という仕事においては、どうすればもっとモチベーションを上げることができるのか。いっそ商品の値札をなくしてしまってもいいのではないか？

商品に値札がついていると、売り手はその値段でただ売るだけでいいから、あまり頭を使わなくて済みます。それは楽なことだし、心の緩みも生じさせます。もし値札がなければ、お客さまにその商品の価値をきちんと伝えながら、その価値にふさわしい値段で買ってもらえるよう説得しなければなりません。いっそのこと、物々交換でもいいのかもしれませんね。それは大変だけれども、販売員のやる気は高まるだろうし、おおげさに言うなら「物を売る」ということの原点回帰になるのでは、と思います。

もう、物が飛ぶように売れる時代は終わりを迎えました。街中にはディスカウントショップが建ち並び、24時間営業のお店だってどんどん増えてきています。企業間での価格競争、売上競争が加熱するなか、では、対面販売のよさとは何か？　お客さまはいま、何を求めているのか？

それは「誰から買いたいか、自分のために何をしてくれるのか」ではないでしょうか。どんどん世の中が便利になっているいま、強く求められているのは、人と人とのつながり。機械にはできない、人の優しさや心配りなのではないかと感じます。

私の考える本当の「接客」とは、お客さまを前にしたときに、ときには一緒に笑ったり泣いたり、感動したりできるということです。お客さまと一緒に過ごすその時間、お客さまに心から寄り添えるような接客というのが、サービス業に従事する人びとの本当のおもてなしなのではないでしょうか。

私は小さい頃から引っ込み思案で、「落ちこぼれ」の子でした。人が信じられず、大人や世の中に反抗して、心配や迷惑をたくさんかけてきました。この新幹線の車内販売という仕事に出会うまでは、ずっと「私にできることなんて何もないな」と考えていたのです。

でも、上司や同僚、そして何よりたくさんのお客さまにお会いし、たくさんの素直な表情に触れて、私はどんどん変わっていきました。自分だけの世界から飛び出し、人を幸せにすることを自分の頭で考え、働くことの楽しさも知りました。一人でも多くのお客さまとお会いし、触れあいたい。そして私が笑顔をもらったように、たくさんの人を笑顔にしていきたい。私の販売方法や考え方は、その一心で生まれたものなのです。

今では、どんな人でも何か、「自分にできることがきっとあるはず」と思っています。こんなふうに、人との出会いや仕事を通して、誰もが、誰かに、何かをしてあげられる世の中になるように、その一助となることができたら――。

人は、気持ちひとつでどこまでも登っていける。心掛けひとつで、人生はいくらでも変えられるということを、伝えていきたいと考えています。

本書は日経ビジネス人文庫のために書き下ろされたものです。

日経ビジネス人文庫

コギャルだった私《わたし》が、カリスマ
新幹線販売員《しんかんせんはんばいいん》になれた理由《りゆう》

2014年11月 4 日 第1刷発行
2025年 8 月28日 第4刷（新装版1刷）

著者
茂木久美子
もき・くみこ

発行者
中川ヒロミ

発行
株式会社日経ＢＰ
日本経済新聞出版

発売
株式会社日経ＢＰマーケティング
〒105－8308 東京都港区虎ノ門4-3-12

ブックデザイン
鈴木成一デザイン室

印刷・製本
ＤＮＰ出版プロダクツ

Printed in Japan ISBN978-4-296-12589-0

nbb 好評既刊

仕事がもっとうまくいく！気持ちが伝わる「手書き」ワザ

青山浩之

パソコンで作った書類やメール全盛だからこそ、手書きが威力を発揮する。あなたの字のクセを直し、相手に伝わる字に変わる！

R25 つきぬけた男たち

R25編集部＝編

「自分を信じろ、必ず何かを成し遂げるときがやってくる」——。不安に揺れる若者たちへ、有名人が自らの経験を語る大人気連載。

R25 男たちの闘い

R25編集部＝編

カッコいい男たちは、どんなカッコ悪い経験を経てブレイクしたのか。俳優、ミュージシャン、漫画家たちが成功への転機を語る。

大人力がさりげなく身につく R25的ブックナビ

R25編集部＝編

仕事でつまずいたとき。知性あふれる素敵な大人になりたいとき。あなたの期待に応える1冊に出会えます。R25の好評連載を文庫化。

質問力

飯久保廣嗣

論理思考による優れた質問が問題解決にどう役立つか、「良い質問、悪い質問」など、身近な事例で詳しく解説。付録は質問力チェック問題。

nbb 好評既刊

問題解決力

飯久保廣嗣

即断即決の鬼上司ほど失敗ばかり——。要領のいい人、悪い人の「頭の中身」を解剖し、論理的な思考技術をわかりやすく解説する。

問題解決の思考技術

飯久保廣嗣

管理職に何より必要な、直面する問題を的確、迅速に解決する技術。ムダ・ムリ・ムラなく、ヌケ・モレを防ぐ創造的問題解決を伝授。

「つまらない」と言われない説明の技術

飯田英明

難解な用語、詳細すぎる資料……。退屈な説明の原因を分析し、簡潔明瞭で面白い話し方、資料の作り方を伝授。具体的ノウハウ満載。

池上彰のやさしい経済学 1 しくみがわかる

池上 彰
テレビ東京報道局＝編

お金はなぜ「お金」なの？　経済を動かす見えざる手って？　講義形式のやさしい解説で、知識ゼロから経済のしくみ・世界情勢が丸わかり！

池上彰のやさしい経済学 2 ニュースがわかる

池上 彰
テレビ東京報道局＝編

バブルって何だったの？　円高と産業空洞化って？　年金は、消費税はどうなる？　経済ニュースが驚くほどよくわかる！　待望の第二弾。

nbb 好評既刊

稲盛和夫の実学
経営と会計

稲盛和夫

バブル経済に踊らされ、不良資産の山を築いた経営者は何をしていたのか。ゼロから経営の原理を学んだ著者の話題のベストセラー。

稲盛和夫の経営塾
Q&A 高収益企業のつくり方

稲盛和夫

なぜ日本企業の収益率は低いのか？ 生産性を10倍にし、利益率20%を達成する経営手法とは？ 日本の強みを活かす実践経営学。

アメーバ経営

稲盛和夫

組織を小集団に分け、独立採算にすることで、全員参加経営を実現する。常識を覆す独創的・経営管理の発想と仕組みを初めて明かす。

人を生かす
稲盛和夫の経営塾

稲盛和夫

混迷する日本企業の根本問題に、ずばり答える経営指南書。人や組織を生かすための独自の実践哲学・ノウハウを公開します。

キビキビ検索！
グーグル活用ワザ100

井上香緒里

情報検索のテクニックはもちろん、乗り換え案内、メール、予定管理、デジカメ写真のクラウド共有まで、徹底的な使いこなしワザを紹介。

nbb 好評既刊

アイドル武者修行
井ノ原快彦

アイドルという仕事を選んだ意味、葛藤、生き方、芸能界の不思議……。V6の井ノ原快彦が本音を綴ったベストセラーが文庫で登場。

社長になる人のための税金の本
岩田康成・佐々木秀一

税金はコストです！　課税のしくみから効果的節税、企業再編成時代に欠かせない税務戦略まで、幹部候補向け研修会をライブ中継。

実況　岩田塾 図バっと！ わかる決算書
岩田康成

若手ＯＬとの対話を通じ「決算書は三面鏡」「イケメンの損益計算書」など、身近な事例で会計の基礎の基礎を伝授します。

社長になる人のための経理の本［第2版］
岩田康成

次代を担う幹部向け研修会を実況中継。財務諸表の作られ方・見方から、経営管理、最新の会計制度まで、超実践的に講義。

なぜ閉店前の値引きが儲かるのか？
岩田康成

身近な事例をもとに「どうすれば儲かるか？」を対話形式でわかりやすく解説。これ一冊で「戦略管理（経営）会計」の基本が身につく！

nbb 好評既刊

株が上がっても下がってもしっかり稼ぐ投資のルール
太田 忠

過去の投資術だけでは長続きしない――。確実に儲ける新時代の手法を、豊富なアナリスト、ファンド・マネジャー経験を持つ著者が指南。

賢い投資家必読！株に強くなる本88
太田 忠

入門書から名著、古典、小説まで、賢い投資家になるために必読の投資本88冊を一挙紹介。『投資をするならこれを読め』を7年ぶりに改訂！

「やる気」アップの法則
太田 肇

一見やる気のない社員も、きっかけさえ与えれば、俄然実力を発揮する！　タイプ別に最も効果的な動機づけ法を伝授する虎の巻。

ビジネススクールで身につけるファイナンスと事業数値化力
大津広一

ファイナンス理論と事業数値化力はビジネスの基礎力。ポイントを押さえた解説と、インタラクティブな会話形式でやさしく学べる。

ビジネススクールで身につける会計力と戦略思考力〈新版〉
大津広一

業界構造や経営戦略は、決算書に表れる――。会計数値と経営戦略を読み取る方法が同時に学べる会計入門書、ケースを刷新し新版で登場。